Adam J. Jackson

Les 10 Secrets de la Santé

Une parabole moderne sur la sagesse et la santé
qui changera votre vie

Traduction de Loïc Cohen

Editions Vivez Soleil

Adam J. Jackson

Les 10 Secrets de la Santé

Une parabole moderne sur la sagesse et la santé qui changera votre vie

Traduction de Loïc Cohen

Editions Vivez Soleil

Titre original : *The Ten Secrets of Abundant Health*

Illustration de couverture : Joan Perrin Falquet
Conception couverture : Pascale Carrier

CH-1225 Chêne-Bourg/Genève
ISBN 2-88058-179-6

Ce livre est dédié à la mémoire du Dr. Emil Just, à sa merveilleuse femme, Edith, et à Fred Kurgen - trois êtres uniques en leur genre qui, les premiers, m'ont inspiré et guidé dans mon travail - avec amour et gratitude.

Table des Matières

REMERCIEMENTS

Je voudrais remercier tous ceux qui m'ont aidé dans mon travail et dans l'écriture de ce livre. J'éprouve une reconnaissance particulière envers :

Mon agent littéraire, Sara Menguc, et son assistante Georgia Glover.

Ma mère, qui m'a toujours incité à écrire et qui demeure une source constante d'inspiration et d'amour pour moi. Mon père, pour ses encouragements, ses conseils et l'aide qu'il m'a apportée dans tout mon travail, ainsi que toute ma famille et mes amis pour leur amour.

Et enfin, Karen - ma femme, ma meilleure amie qui m'a relu de la manière la plus impartiale. Les mots ne peuvent exprimer mon amour pour elle qui a toujours eu foi en moi et dans mon travail.

INTRODUCTION

Le médecin du futur ne prescrira aucun médicament, mais il poussera plutôt ses patients à s'intéresser à leur corps, à leur alimentation, à la cause des maladies et à leur prévention.

-Thomas Edison.

Nous désirons tous ardemment être en bonne santé. Comment se fait-il, dès lors, que si peu de gens le soient ? Comment se fait-il qu'en dépit des progrès de la médecine moderne, les ventes de médicaments et des nombreux compléments nutritionnels augmentent sans arrêt, que des maladies telles que le cancer, les affections cardio-vasculaires, l'asthme et les désordres nerveux soient chaque année plus répandues ? Se pourrait-il que nous fassions fausse route dans notre quête de la santé ?

Ma conviction est que nous sommes tous responsables de notre état de santé et de celui de nos enfants, et que nous pouvons non seulement avoir une bonne santé, mais également une santé florissante. Celle-ci n'est pas seulement un état exempt de toute maladie identifiable - bon nombre de gens n'ont aucune maladie diagnostiquée mais ne s'en sentent pas moins continuellement fatigués, en piteux état et sans énergie - elle est plutôt un état où bien-être, énergie et vitalité se manifestent en abondance et qui nous permet de vivre pleinement nos existences. A la différence de ce que l'on trouve dans la plupart des paraboles, tous les personnages décrits dans ce livre font référence à des personnes réelles (à l'exception du personnage du vieux chinois qui est un mélange de plusieurs personnes âgées - hommes ou femmes - pleines de sagesse et que j'ai eu la chance de rencontrer). Bien entendu, leurs noms ont été changés, mais elles ont toutes vaincu leur maladie et trouvé la santé, ainsi que je le relate dans chaque chapitre. J'espère que leurs histoires vous inspireront, et que vous prendrez exemple sur elles pour connaître cette bénédiction qu'est une santé florissante.

Adam Jackson
Hertfordshire
Mars 1995.

Le Patient

Le visage du jeune homme était pâle lorsqu'il quitta le cabinet de consultation du docteur. Il referma la porte derrière lui. Sa main tremblait et ses yeux devenaient de plus en plus gonflés et vitreux au fur et à mesure qu'il descendait les marches de l'escalier. Il regarda devant lui d'un air absent, l'esprit inconscient de tout ce qui se passait autour de lui, et longea le couloir qui débouchait sur le hall d'accueil du centre médical de l'université. Soudain, il se sentit très faible ; la pièce se mit à tourner autour de lui et il eut juste la force de se diriger péniblement vers le fauteuil le plus proche pour s'y affaler.

La pluie giflait lourdement la grande fenêtre à côté de l'entrée. Une question amère lui martelait sans cesse l'esprit, une question que beaucoup de gens se posent lorsqu'ils doivent faire face à une crise similaire : "Pourquoi moi ?"

Il ne se rendait pas compte que s'interroger sur le passé et sur la souffrance ne peut donner de réponses pour l'avenir. De telles questions ne peuvent qu'entraîner davantage de souffrances et d'angoisses et c'est pourquoi il ne put retenir plus longtemps les larmes qui montaient en lui.

Tout s'était passé si rapidement, pratiquement d'un jour à l'autre. Sa première année à l'université avait été très satisfaisante et il avait passé tous ses examens avec d'excellentes notes. Au dire de tous, un avenir radieux s'ouvrait devant lui. Mais pour le moment, il avait perdu ce qui était le plus important dans sa vie : sa santé.

La santé est censée être notre bien le plus précieux, mais on la considère trop souvent comme allant de soi, ce qui fait qu'on la néglige. Beaucoup de gens prennent davantage soin de leur voiture que de leur propre corps, et le jeune homme ne faisait pas exception.

Mais on ne peut négliger indéfiniment sa santé. Tôt ou tard, le jour vient où l'on est bien obligé d'ouvrir les yeux et ce jour était arrivé pour le jeune homme. Maintenant, les seuls mots qui résonnaient dans sa tête étaient ceux du docteur : "Je suis désolé ... il n'y a rien à faire. Il n'existe pas de traitement."

Tout d'un coup, sa vie avait basculé et elle ne serait plus jamais la même.

Et c'est pourquoi, dans un coin du hall d'entrée de l'université, le jeune homme restait prostré, la tête dans les mains. Désespéré, effrayé et seul, il fit quelque chose qu'il n'avait plus fait depuis son enfance : il se mit à prier. Mais il ne s'agissait pas d'une prière ordinaire, c'était une prière venue du tréfonds de son cœur : "Ô, Seigneur, je t'en prie, aide-moi. Je t'en prie, montre-moi la voie."

La prière recèle un pouvoir mystérieux - une énergie intangible qui relie l'esprit à un pouvoir supérieur qui, s'il est bien canalisé, permettra de résoudre n'importe quel problème et de guérir n'importe quelle maladie. La communication entre l'esprit, l'âme et une force divine apporte la paix, un calme qui transcende toute détresse et, très souvent, si l'orant est sincère et sa foi puissante, un miracle se produit : la prière est exaucée.

La Rencontre

- Vous semblez avoir des problèmes. Puis-je vous aider ?

Le jeune homme se retourna et vit un vieux chinois debout tout près de lui. L'homme était petit, simple et effacé. Il était chauve, si ce n'est quelques cheveux d'un blanc immaculé de chaque côté de son crâne, et avait de grands yeux noirs.

- Tout va bien, je vous remercie, murmura-t-il.

Le vieil homme s'assit quand même.

- Vous savez, dit-il, dans mon pays, nous croyons que tout problème recèle en lui un bienfait considérable.

- Il n'y a rien dans mon problème qui ressemble à un bienfait, marmonna le jeune homme.

- Oh, je puis vous assurer que si, répondit son nouveau compagnon. Il est parfois difficile à déceler, mais il est bel et bien là. Même dans le cas d'une maladie.

Le jeune homme fut très surpris. Que voulait dire le vieil homme ? Pourquoi cette référence à la "maladie"? Il se tourna vers lui. Il ne se souvenait pas l'avoir déjà rencontré, et pourtant il lui était très familier. Il ne s'agissait pas de son visage. Non, il ne l'aurait jamais oublié. C'était un visage bon et doux avec des yeux chaleureux. Peut-être était-ce sa voix, mais là encore, il se serait souvenu d'un tel accent asiatique aux intonations si douces. Non, il ne pouvait dire ce qui, chez ce vieil homme, lui semblait si familier. Il supposa que le vieil homme devait être l'un des nouveaux assistants étrangers venus pour enseigner durant une année.

- Quel "bienfait" pourrait-il y avoir dans une maladie ? grommela le jeune homme.

- La souffrance donne souvent naissance à de grandes joies. Tout comme l'obscurité de la nuit précède les premières lueurs de l'aube, tout comme les douleurs de l'enfantement annoncent le plus grand miracle de la Nature, c'est à travers la maladie que nous recevons le don de la santé florissante.

Le jeune homme était perplexe. Comment la maladie pourrait-elle engendrer la santé ? Mais sans lui laisser le temps de poser cette question à voix haute, le vieil homme continua.

- La maladie est simplement un moyen qu'utilise le corps pour se guérir lui-même. Lorsque vous avez un rhume ou une grippe, c'est tout simplement le signe que l'organisme résiste à l'attaque des microbes. Si vous avez mal au ventre, c'est que votre corps est en train de vous dire que vous avez mangé ou fait quelque chose qui l'a perturbé. Même un banal mal de dos n'est souvent qu'une façon pour votre corps de vous signaler qu'un muscle est froissé et a besoin de repos.

Vous voyez, les malaises, la douleur et la maladie sont vraiment nos amis : ce sont des messagers de Dieu qui nous signalent que quelque chose ne va pas et qu'il faut y remédier. La douleur est une voix qui nous interpelle pour nous venir en aide.

- Eh bien, voilà une "voix" dont je me passerais fort bien, protesta le jeune homme.

- Ah bon, mais le pourriez-vous ? demanda le vieil homme. Imaginez ce que serait votre vie si vous ne pouviez ressentir aucune douleur. Vous pourriez mourir sans même vous en rendre compte. Un beau jour, assis près d'une cheminée, vous pourriez découvrir soudain en baissant les yeux que le feu a réduit votre bras à l'état de moignon, et tout cela parce que vous ne pouviez pas entendre l'appel de la douleur.

Comme vous, la plupart des gens sont persuadés que la douleur est leur pire ennemi et c'est pourquoi ils s'efforcent de la réduire au silence à l'aide de médicaments. Mais le fait de tuer la douleur ne pourra jamais résoudre à lui tout seul un problème de santé. Si l'on ne s'attaque pas à la cause d'une maladie, celle-ci ne fera qu'empirer. Au bout du compte, il faudra utiliser des médicaments de plus en plus puissants pour supprimer la douleur - des médicaments qui ne feront qu'aggraver le problème.

Le jeune homme pensa à sa propre situation. Il était certainement vrai que de nouveaux symptômes étaient apparus après qu'il eut pris les médicaments que le médecin lui avait prescrits.

- Mais quel bienfait pourrait-on invoquer dans le cas d'une maladie incurable ? insista-t-il.

- Il y a très peu de maladies incurables, dit le vieil homme, mais par contre, de nombreux malades le sont. Ces gens ne peuvent ou ne veulent pas guérir.

- Mais enfin, tout le monde souhaite être en bonne santé, ne croyez-vous pas ? rétorqua le jeune homme.

- Consciemment, peut-être, mais parfois, au niveau inconscient, il n'en est rien. Si tous les gens souhaitaient vraiment être en bonne santé, adopteraient-ils des habitudes de vie si malsaines, comme c'est si souvent le cas ? Détruiraient-ils en toute connaissance de cause leur santé en fumant des cigarettes, en buvant trop d'alcool et en mangeant des aliments sans valeur nutritive ?

- Je vois, dit le jeune homme.

- Lorsque ces personnes tombent malades, elles refusent de modifier leurs modes de vie et préfèrent se cramponner à leurs habitudes autodestructrices jusqu'à ce que leur santé en soit irrémédiablement affectée. Ces gens sont incurables avant même que la maladie ne s'installe, comprenez-vous ? Ce n'est pas la maladie elle-même qui est incurable, ce sont eux qui font en sorte qu'il n'y ait plus de guérison possible. Ces personnes ne cherchent pas à construire leur santé. Elles ne cherchent qu'à éviter la souffrance et la maladie.

- Mais la santé est quelque chose de plus compliqué que ça ? dit le jeune homme sur un ton vif.

- Pas vraiment. En réalité, elle est très simple. D'après vous, pour quelle raison les gens tombent-ils malades ? demanda le vieil homme.

- Je n'en sais rien, c'est le genre de choses qui arrivent, n'est-ce pas ? C'est ce que me disait mon médecin. Je suppose que c'est le destin ou la malchance.

- Vraiment ? Vous ne pensez pas qu'il y a une raison bien précise derrière chaque maladie ?

- Je ne saurais le dire.

Le vieil homme regarda le jeune homme et dit :

- Pourriez-vous me citer un seul phénomène naturel qui n'ait pas de cause ? Observez la pluie dehors, tombe-t-elle par hasard ? Les nuages se forment-ils comme ça, au petit bonheur la chance ?

Le vieil homme poursuivit sa démonstration.

- Il y a des lois dans la Nature. L'eau commence à bouillir à 90 degrés centigrades, pas à 89 ou 91, mais exactement à 91. De même, elle gèle à 0 degré, pas un de plus, pas un de moins.

Le vieil homme sortit une pièce de monnaie de sa poche et dit :

- Si je lâche cette pièce, que va-t-il se passer ?

- Elle va tomber par terre, dit le jeune homme.

- Et pourquoi va-t-elle tomber ? Est-ce le fruit du hasard ?

- Non, bien sûr que non. Elle va tomber parce qu'elle plus lourde que l'air. C'est la loi de la pesanteur, dit le jeune homme.

- Exactement, dit le vieil homme. Si elle tombe, c'est à cause de la loi de la pesanteur, qui n'est qu'une des nombreuses lois de la nature. Voyez-vous, rien ne se produit par hasard dans l'univers. La santé et la maladie n'ont rien à voir avec la chance. C'est même tout le contraire ; la santé est tout simplement la conséquence inévitable d'un mode de vie en harmonie avec les lois de la nature, tandis que toute maladie est la conséquence inéluctable d'un mode de vie contraire à ces mêmes lois.

Pensez-vous que celui qui fume aura des poumons en bon état ?

- Non, bien sûr que non, répondit le jeune homme.

- Et ceux qui mangent n'importe quoi, croyez-vous qu'ils sont bien nourris ?

- Non, bien sûr. Je vois où vous voulez en venir, dit le jeune homme, mais qu'en est-il des microbes et des virus ? Ils provoquent des maladies, et pourtant je ne vois pas quel lien ils pourraient avoir avec notre mode de vie ?

- Les microbes sont comme des rats, expliqua le vieil homme, ils ne pullulent que dans les endroits malsains. Pour être sûr d'avoir des rats dans sa maison, il suffit de ne pas l'entretenir. Si l'on garde sa maison propre, les rats s'en détourneront parce qu'ils ne pourront rien y trouver à manger.

- Mais il arrive quand même que les gens attrapent des microbes, rétorqua le jeune homme.

- Les microbes sont incapables, par eux-mêmes, de déclencher une maladie, sinon tous les malades devraient également être porteurs du germe incriminé et tous ceux qui ont ce germe dans leur sang devraient être malades. Ni l'une ni l'autre de ces hypothèses n'est valable dans tous les cas. Tout comme les rats se nourrissent des déchets qui s'accumulent à l'intérieur et à l'extérieur de la maison, les microbes se nourrissent des déchets qui se trouvent à l'intérieur et autour du corps. Et, de même que les rats ne peuvent survivre dans un milieu propre parce qu'ils ne peuvent rien y trouver à manger, de même les germes ne peuvent survivre dans un sang inaltéré.

Les gens se soucient beaucoup trop des microbes et trop peu du type d'environnement qui les attirent. Quelle que soit l'ampleur de leurs efforts, ils ne se débarrasseront jamais des microbes tant qu'ils ne se seront pas débarrassés des choses dont les rats se nourrissent.

C'est pourquoi seul un mode de vie sain peut engendrer la santé et vaincre la maladie. Pour trouver la santé et la guérison, il faut d'abord changer son mode de vie en se conformant aux lois de la nature.

- Ce que vous me dites semble logique, mais ça me paraît tout de même un peu simple, dit le jeune homme.

Le vieil homme sourit.

- Mais c'est simple. C'est tellement simple, et pourtant beaucoup de gens ont un mal fou à le comprendre. Il existe dans la nature des lois immuables qui, si l'on s'y conforme, assurent une bonne santé et qui, si on les transgresse, engendrent tout aussi inéluc-tablement la maladie.

Le jeune homme se rendait compte que le vieil homme disposait de bons arguments, mais il ne voyait pas bien à quoi cette logique pouvait aboutir.

- Laissez-moi vous expliquer, dit le vieil homme. Toute maladie n'est qu'un "mal-aise" à l'intérieur du corps, n'est-ce pas ?

- Oui.

- Tout "mal-aise" a une cause, vous êtes d'accord ?

- Oui ... Je suppose que oui.

- Dans ces conditions, pour éliminer le "mal-aise" et pour créer l'"aise" (ou la santé), il est nécessaire d'éliminer la cause de la maladie, n'est-ce pas ?

Le jeune homme acquiesça tout en n'ayant pas l'air totalement convaincu.

Le vieil homme continua.

- Observez cet homme là-bas, dit-il en désignant du doigt un homme assis tout seul au bout d'une rangée de chaises.

- Il y a quelques années, il a commencé à avoir régulièrement des migraines. En fait, ces migraines étaient dues à sa mauvaise alimentation. Il mangeait beaucoup de chocolat, de fromage et de viande, et il buvait quotidiennement plusieurs grands verres d'alcool. Il aurait pu éliminer la cause de ses migraines en modifiant son régime alimentaire. Mais au lieu de cela, il décida de prendre des médicaments anti-douleurs.

Après environ un an, il fut obligé de prendre des médicaments plus puissants, mais ceux-ci eurent pour effet secondaire de provoquer une hypertension, et c'est ainsi qu'on lui prescrivit encore d'autres médicaments pour traiter l'hypertension artérielle. Aujourd'hui, il souffre d'une maladie appelée athérosclérose - le durcissement des artères - qui a grandement affaibli son cœur et complètement changé la qualité de sa vie. Il est obligé de prendre tous les jours des comprimés. Son cœur est si faible qu'il ne peut plus courir ni marcher d'un pas vif, et on devra lui implanter un stimulateur cardiaque pour suppléer les déficiences de son cœur. Pour couronner le tout, il a toujours ses migraines, sauf que maintenant elles sont beaucoup plus fréquentes ! S'il en est là aujourd'hui, c'est parce qu'au départ il a fait le choix de supprimer ses douleurs au lieu d'éliminer la cause de son problème.

Vous voyez, la véritable guérison ne viendra jamais de comprimés ou d'une quelconque potion. La santé ne se trouvera jamais au fond d'un flacon ou au bout du scalpel du chirurgien. Bien entendu, je ne dis pas que certains médicaments et certaines pratiques chirurgicales ne soient pas utiles - dans des situations de crises, ils peuvent sauver des vies - mais ils ne pourront jamais par eux-mêmes créer la santé. Rien d'extérieur au corps ne peut apporter la guérison ou favoriser la santé.

- Mais si les médicaments n'ont aucun effet bénéfique, qu'est-ce qui est efficace, alors ? demanda le jeune homme.

- Eh bien, voyons, dit le vieil homme. Imaginez un instant que vous enfonciez un clou dans un mur. Par maladresse, vous ratez la tête du clou et vous vous assenez un coup sur le pouce qui est alors contusionné. Votre doigt va-t-il retrouver son état habituel ?

- Oui, évidemment, dit le jeune homme.

- Votre pouce guérira sans le moindre comprimé ni la moindre pommade, n'est-ce pas ?

Le jeune homme acquiesça.

- Mais comment cela se fait-il ? demanda le vieil homme.

- C'est comme ça, c'est tout, dit le jeune homme.

- Ah oui ? "C'est comme ça"! C'est parce que votre corps a en lui une force curative qui peut guérir toute maladie, dit le vieil homme. Mais que se passerait-il si chaque jour vous repreniez le marteau et qu'à chaque fois vous cogniez de nouveau votre pouce ? Son état s'améliorerait-il ?

- Non, bien sûr. Pas si je continue à taper dessus.

- Nous sommes bien d'accord : en agissant de la sorte vous ne pourriez éliminer la cause de la douleur car les forces de guérison de votre organisme ne peuvent entrer en action tant que la cause du problème n'a pas été éliminée. Mais dès lors que vous arrêtez de taper sur votre pouce, il se guérira lui-même parce qu'il y a en vous une merveilleuse force curative.

Le même phénomène se produit partout dans la nature. Lorsqu'une branche d'arbre est coupée, l'arbre "saigne" puis se régénère lui-même. Chacun de nous a la chance d'avoir une force curative qui pourra toujours, si on ne l'entrave pas, guérir le corps de n'importe quelle maladie, pour peu que l'on en prenne soin.

Chaque jour, tous les jours, bon nombre de gens martèlent leur organisme en se cramponnant à des habitudes de vie nocives qui favorisent sans cesse l'apparition de nouvelles maladies. Pour éliminer ces dysfonctionnements internes, tout ce qu'ils ont à faire est d'arrêter de marteler leur organisme. En éliminant la cause d'une maladie vous éliminez la maladie elle-même.

Dans ce monde, mon ami, vous ne pouvez récolter que ce que vous avez semé. C'est la loi de cause à effet. Votre destin est et a toujours été entre vos mains. C'est pourquoi la voie de la santé commence avec la compréhension de ce fait : c'est vous qui créez la santé ou la maladie, et c'est donc vous seul qui avez le pouvoir de changer votre condition.

Chaque individu a non seulement le pouvoir de se guérir lui-même, mais aussi celui de jouir d'une santé florissante ... en changeant de mode de vie. Pour ce faire, il suffit de prendre conscience des lois de la nature et d'accepter la responsabilité de son propre état de santé. Personne d'autre n'est responsable - médecins, parents, enseignants, thérapeutes - aucun d'eux n'est responsable de votre santé. Dès lors que vous acceptez de prendre en charge votre santé, vous avez fait un grand pas sur la voie de la guérison et de la santé florissante.

Maintenant, les choses commençaient à s'éclaircir dans l'esprit du jeune homme. Il n'avait jamais envisagé que sa santé puisse dépendre de ses propres actes. C'est pourquoi il ne s'était jamais soucié de ce dont son corps avait besoin pour rester en bonne santé.

Le jeune homme examina avec attention le vieil homme et il remarqua pour la première fois qu'il ne s'agissait pas d'un vieil homme ordinaire. D'habitude, pensa-t-il, on imagine les vieillards courbés sous le poids des ans, frêles et faibles. On les imagine le plus souvent malades. Pourtant, ce vieillard-là se tenait si droit et avait l'air si fort. En fait, son allure était tout à fait surprenante pour un homme de son âge. Sa peau paraissait fraîche et ses yeux brillants, presque étincelants. En vérité, le jeune homme n'avait jamais ressenti une telle énergie chez une autre personne, et encore moins chez un homme aussi âgé. A en juger par son apparence, il devait y avoir quelque vérité dans ce qu'il disait.

- N'oubliez jamais ceci, dit le vieil homme. Nous avons tous le pouvoir de vaincre la maladie et d'introduire la santé florissante dans notre vie. Cette santé-là est bien plus que la simple absence de maladie. Elle est énergie, pouvoir et joie de vivre.

Tout ce que vous avez à faire est de vivre en harmonie avec les lois de la nature. Toute chose dans l'univers est régie par des lois précises ... même votre santé. Ces lois comprennent des secrets qui permettent de venir à bout de n'importe quelle maladie et d'introduire une santé florissante dans notre vie.

- Mais de quels secrets s'agit-il ? demanda le jeune homme.

- Ce sont les secrets de la santé florissante, répondit le vieil homme tout en dressant une liste de dix noms et numéros de téléphone sur un bout de papier.

- Contactez tour à tour chacune de ces personnes et elles vous enseigneront ce que vous souhaitez apprendre. Elles ont toutes appris et maîtrisé les secrets de la santé florissante.

Mais n'oubliez pas ce que je vais maintenant vous dire, car en matière de santé et de maladie, rien n'est plus simple ni plus important :

Derrière tout symptôme, il y a une cause. Dans ces conditions, si vous éliminez la cause, vous éliminerez le symptôme. Et c'est pourquoi il existe un remède pour toute affection, tout comme il y a une solution pour tout problème.

La Bible nous l'avait promis :"Demandez, et l'on vous donnera ; cherchez, et vous trouverez ; frappez, et l'on vous ouvrira." C'est pourquoi en cherchant la santé de tout votre cœur vous ne manquerez pas de la trouver.

Sur ces mots, le vieil homme tendit le bout de papier au jeune homme. Celui-ci examina la liste des dix noms et numéros de téléphone durant quelques instants. Mais, lorsqu'il se tourna vers le vieil homme, il s'aperçut que la chaise qui se trouvait à ses côtés était vide. Le vieil homme était parti aussi vite qu'il était venu.

Le jeune homme aurait eu tant d'autres questions à lui poser. Il se rendit directement au bureau du directeur pour demander qui était ce nouvel assistant chinois et où on pouvait le trouver.

- Mais de qui parlez-vous ? demanda le directeur. Il n'y a aucun assistant chinois. D'ailleurs, il n'y a pas non plus d'assistants japonais ou taïwanais.

- Vous en êtes sûr ? insista le jeune homme.

- Mais oui j'en suis sûr. En fait, le seul assistant asiatique qui fasse partie de notre personnel est Mme Chang du département de mathématique. Et cela fait maintenant cinq ans qu'elle est avec nous.

Le jeune homme était intrigué. Qui était ce vieux chinois ? D'où venait-il ? Et plus important encore, se pourrait-il qu'il ait raison ? Existait-il vraiment des lois de la santé ? Tout s'était passé si vite ... était-ce un rêve ? Ce vieil homme n'était-il pas le fruit de son imagination ? Mais, lorsqu'il baissa les yeux, il sut que le vieil homme était bien réel et que cette rencontre avait bel et bien eu lieu. La preuve se trouvait entre ses mains : un bout de papier contenant une liste de dix noms.

LE PREMIER SECRET

Le pouvoir de l'esprit

Le premier nom sur la liste du jeune homme était celui d'une femme du nom de Karen Selsdon. Sans perdre un instant, il lui téléphona à la minute même où il arriva chez lui, en rentrant de l'université. Il lui relata son histoire et elle se montra brusquement aussi enthousiaste que lui à l'idée de se rencontrer. Ils se mirent d'accord pour un rendez-vous le lendemain à 15 heures.

Durant toute la matinée, le jeune homme ne put s'empêcher de penser à ce qu'il retirerait de cette première rencontre. Finalement, l'heure du rendez-vous arriva. Mme Selsdon, mariée, mère de deux enfants, était également psychologue clinicien. Le jeune homme ne voyait pas en quoi la psychologie pouvait bien concerner son état de santé. Après tout, pour autant qu'il le sache, il n'était pas affecté de troubles psychologiques.

- Ainsi, vous désirez apprendre les lois de la santé florissante ? demanda Mme Selsdon au jeune homme.

- Existent-elles vraiment, ces lois ? demanda le jeune homme.

- Bien entendu, aussi sûrement qu'il existe des lois qui régissent la nature dans son ensemble, répondit Mme Selsdon. Les lois de la santé florissante sont des lois précises qui existent depuis la nuit des temps. Le fait de les connaître permet de venir à bout de n'importe quelle maladie et d'atteindre un niveau de santé qui ferait rêver la plupart des gens.

La bonne santé revêt de nombreux aspects, mais celui que je connais le mieux et qui a eu le plus grand impact sur ma vie est le pouvoir de l'esprit. Les gens pensent à tort que l'esprit concerne seulement nos émotions et notre santé mentale, mais en vérité il représente les fondations émotionnelles et physiques de la santé. C'est pourquoi il concerne toutes les maladies.

- Pourquoi l'esprit a-t-il tant d'importance ? demanda le jeune homme.

- Parce qu'il contrôle votre corps. Vous pouvez constater le pouvoir de l'esprit tous les jours. Lorsque nous éprouvons une gêne quelconque, nous rougissons. Lorsque nous sommes effrayés, nous devenons tout pâle, et quand nous avons le trac, nous avons souvent les mains moites et les genoux qui tremblent. Voilà quelques exemples de l'influence très diverse qu'exerce l'esprit sur le corps.

Je vais vous montrer quelque chose, dit-elle. Fermez un instant les yeux et essayez d'imaginer un citron.

- Le jeune homme s'enfonça dans son fauteuil et ferma les yeux.

- Ça y est, je vois un citron, dit-il.

- Maintenant, imaginez que vous mordiez à belles dents dans ce citron.

Le jeune homme eut un rictus de dégoût car ce citron "virtuel" agaçait ses dents exactement comme s'il s'était agi d'un citron réel.

- Vous voyez à quel point l'esprit peut être puissant, dit Mme Selsdon. Ce citron était purement imaginaire et pourtant votre organisme a réagi comme s'il était bien réel. C'est ça, le pouvoir de l'esprit. Voyez-vous, votre esprit contrôle vos pensées et celles-ci, à leur tour, contrôlent totalement votre corps. De même que nous pouvons utiliser le pouvoir de notre esprit pour saliver, nous pouvons l'utiliser pour stimuler notre système immunitaire en augmentant la production de nos globules blancs, et nous pouvons utiliser ce même pouvoir pour soulager nos douleurs, résoudre des problèmes de peau, et même pour favoriser la guérison de nombreuses maladies, dont le cancer.

Lorsque j'ai entendu parler pour la première fois des lois de la santé florissante, j'étais aussi sceptique que vous, dit-elle. Mais croyez-moi, si je suis vivante aujourd'hui, c'est bel et bien en partie grâce au pouvoir de mon esprit. Il y a dix ans de cela, j'avais une tumeur maligne au cerveau. Mon médecin m'a dit que cette tumeur était dans une phase si avancée que même une intervention chirurgicale serait dangereuse. On ne pouvait rien faire, et on m'accordait moins d'un an d'espérance de vie. Comme vous pouvez l'imaginer, j'étais complètement effondrée et j'ai vraiment pensé que j'allais mourir. Mais, comme vous pouvez le constater, je suis toujours en vie.

- Comment est-ce possible ? s'exclama le jeune homme.

- J'ai rencontré un homme qui m'a sauvé la vie. Un vieux petit chinois !

Le jeune homme sentit un frisson lui parcourir le dos. Il ne lui vint pas à l'esprit que ce frisson constituait un autre exemple de l'influence de l'esprit sur le corps.

- Je l'ai rencontré à la bibliothèque municipale, poursuivit Mme Selsdon. A l'époque, j'étais aide bibliothécaire et je travaillais au service d'information. Un jour, le vieux chinois s'est présenté pour demander un exemplaire d'un livre sur la visualisation créatrice et un autre sur les pouvoirs de guérison de l'esprit.

Nous n'avions pas ces ouvrages en rayon et je les ai donc commandés. D'ordinaire, il faut environ une semaine pour recevoir les livres, mais, cette fois-ci, je les ai trouvés sur mon bureau dès le lendemain matin. Les titres de ces ouvrages m'intriguaient et je décidai de les lire. Le message principal de ces livres, dont l'un avait été écrit par un médecin, était que la plupart des maladies peuvent être guéries par le pouvoir de l'esprit. De nombreux cas étaient rapportés, notamment ceux de cancéreux qui avaient survécu à leur maladie en utilisant uniquement ce pouvoir. Cela me parut extraordinaire et je décidai donc d'essayer moi-même les techniques suggérées.

- En quoi consistaient-elles exactement ? demanda le jeune homme, avide d'en apprendre davantage.

- Eh bien, d'abord, j'ai fait quelque chose qui s'appelle la "visualisation créatrice". Il s'agit d'une technique qui permet de susciter des images aux effets curatifs dans son esprit. Je me suis efforcée de visualiser la tumeur dans ma tête et j'ai imaginé qu'elle était dévorée par de petits requins. Chaque matin et chaque soir je m'allongeais ou je m'asseyais pendant environ un quart d'heure et j'imaginais que la tumeur était peu à peu dévorée. Et de fait, à la fin de chaque séance, je me sentais vraiment mieux et plus forte.

- Vraiment ? dit le jeune homme.

- Oui, vraiment. Essayez, vous verrez bien. Après tout, pourquoi ne ferions-nous pas une petite séance rapide maintenant. Fermez les yeux et prenez quelques respirations profondes ... C'est bien ... Maintenant, visualisez votre problème de santé ... imaginez que vous l'anéantissez. Vous pouvez utiliser tous les moyens que vous voulez. Fusils, extraterrestres, cow-boys et Indiens, tout ce qui vous passe par la tête. Vous pouvez même imaginer que votre problème est en train de disparaître comme un bloc de glace qui fond au soleil. Peu importe la nature des images que vous utilisez. L'important est de visualiser la guérison de votre corps.

Le jeune homme imagina de puissants vaisseaux spatiaux dans son corps qui neutralisaient leur cible au moyen d'un rayon laser. Puis il s'imagina lui-même en bonne santé et plein d'énergie. Après quelques minutes, Mme Selsdon lui demanda d'arrêter l'exercice.

- Comment vous sentez-vous ? demanda-t-elle.

- C'est inouï ! s'exclama-t-il. C'est très relaxant et j'ai l'impression d'avoir un peu plus d'énergie qu'avant.

- Très bien. C'est que ça a marché. Maintenant, imaginez comment vous vous sentiriez si vous faisiez cet exercice durant un peu plus de temps, disons quinze, vingt minutes, et ce, deux ou trois fois par jour.

- Je vois où vous voulez en venir, dit le jeune homme.

- Pour utiliser pleinement le pouvoir de l'esprit, je me suis servie d'une autre technique très importante. Il s'agit des "affirmations curatives", dit Mme Selsdon.

- Je suis désolé, mais là, je ne vous suis plus. Que sont ces "affirmations curatives"? demanda le jeune homme.

- Une affirmation est tout simplement une autosuggestion. L'énoncer à voix haute est plus efficace.

- Comment cela fonctionne-t-il ? demanda le jeune homme.

- Eh bien, quand vous répétez quelque chose assez souvent, son message s'imprime dans votre esprit. Vous ne pouvez faire autrement que de vous représenter ce que vous dites. Ainsi, par exemple, si je vous demande de ne pas penser à des éléphants roses portant des tutus à pois blancs et violets, quelle image vous traverse l'esprit ?

Le jeune homme visualisa dans sa tête des éléphants roses portant des tutus à pois blancs et violets.

- Je comprends, dit-il. Il m'est impossible de ne pas y penser. Ainsi, vous soutenez que si je répète une affirmation curative à de multiples reprises, mon esprit ne pourra éviter de se concentrer sur la guérison et la santé.

- C'est exact, répondit Mme Selsdon. Les affirmations curatives sont simplement des autosuggestions relatives à la guérison qui, si on les répète régulièrement chaque jour, s'imprimeront dans l'esprit. Même si au début vous ne croyez pas à cette affirmation, elle s'inscrira finalement dans votre inconscient et, ce faisant, elle deviendra une réalité. Dans ces conditions, plus vous répéterez une affirmation, et plus elle agira rapidement.

L'efficacité des affirmations curatives fut découverte par le Dr. Emile Coué au siècle dernier. Il demandait à ses patients de dire aussi souvent que possible - matin, midi et soir, à tout moment et en tout lieu - une affirmation très simple mais très efficace : "Chaque jour, et dans tous les domaines, je vais de mieux en mieux."

Et, le croiriez-vous, la plupart des malades qui ont suivi ce conseil se sont bel et bien sentis mieux !

- Vous êtes donc venu à bout de votre maladie en utilisant des affirmations et des visualisations curatives ? demanda le jeune homme.

- Oh, j'ai aussi fait d'autres choses. J'ai complètement changé mon mode de vie. J'ai modifié mon régime alimentaire. J'ai fait régulièrement de l'exercice. J'ai pratiqué des exercices de respiration profonde. Et j'ai même appris à rire et à prendre la vie moins au sérieux.

Tout cela m'a aidée. Je suis sûre qu'en temps voulu vous découvrirez avec des personnes mieux qualifiées que moi ces autres aspects du processus de guérison. Mais je puis vous assurer que le pouvoir de l'esprit a joué un rôle essentiel dans ma guérison. Il m'a tellement impressionnée que, un an plus tard, après ma guérison complète et la disparition de la tumeur, je suis retournée à l'université pour y étudier la psychologie et en apprendre davantage sur le fonctionnement de cette technique, afin de pouvoir aider les autres.

Et si je ne devais retenir qu'une chose de tout ce que j'ai appris, ce serait celle-ci : l'esprit est à la base de la santé et de la maladie. Il s'agit vraiment d'une force puissante qui influence nos actions et notre comportement et qui contrôle chaque organe et chaque cellule de notre corps. Laissez-moi vous montrer quelque chose.

Mme Selsdon plaça une cassette vidéo dans un magnétoscope et appuya sur la touche de lecture.

- Avant de commencer, sachez que j'ai vu de mes propres yeux tout ce à quoi vous allez assister. En fait, j'ai même filmé certaines des séquences.

Le film qui se déroula sur l'écran était absolument incroyable. On y voyait une multitude de gens de toutes sortes qui marchaient pieds nus sur des charbons ardents. Le jeune homme, médusé, reconnut Mme Selsdon en personne et l'observa tandis qu'elle marchait à son tour sur les braises.

- On appelle cela l'épreuve de la marche sur le feu. Plus de cent personnes ont marché, les pieds complètement nus, sur des braises à plus de 1000 degrés, et pourtant aucune d'entre elles n'a ressenti la moindre douleur ni constaté la moindre brûlure.

- Mais c'est impossible ! s'exclama le jeune homme.

- Croyez-moi, très peu de choses sont impossibles en ce monde, dit-elle avec un sourire.

- Mais comment ces gens ont-ils réussi un tel exploit !

- Grâce au pouvoir de l'esprit !

Dans la séquence suivante, on voyait une femme allongée dans un lit d'hôpital. Un homme lui parlait et, au bout d'un moment, le corps de cette femme s'immobilisa presque complètement. Un groupe de personnes portant des masques chirurgicaux et des blouses pénétrèrent dans la salle.

- Mais que se passe-t-il ici ? demanda le jeune homme.

- Cette femme va subir une césarienne.

- Et alors, qu'y a-t-il d'extraordinaire à cela ?

- Elle n'a pas été anesthésiée. On ne lui a donné aucun analgésique. Seul son esprit contrôle la douleur. On l'a hypnotisée. Elle est consciente de tout ce qui se passe mais elle ne ressent aucune douleur.

Un chirurgien pratiquait une incision dans son abdomen avec un grand scalpel. Le sang se mit à couler de la blessure et, quelques minutes plus tard, un autre membre de l'équipe chirurgicale extrayait le bébé. Le cordon ombilical fut lié puis coupé, et le nouveau-né poussa des cris assourdissants pendant et après sa première expiration. Mais la mère, elle, toujours sous hypnose, était complètement éveillée et maîtrisait parfaitement la situation sans ressentir la moindre douleur ou gêne.

- C'est absolument prodigieux ! dit le jeune homme avec enthousiasme.

- Attendez, ce n'est pas tout.

La séquence suivante montrait une petite fille dont la peau était recouverte de lésions rouges.

- Cette fillette souffre d'un eczéma très grave. Jusque-là, on lui avait donné tous les médicaments possibles et imaginables, parmi lesquels des pommades aux stéroïdes et même plusieurs traitements aux antibiotiques, mais rien n'y fit. Eh bien, il a suffi de six semaines d'hypnothérapie pour que sa peau soit complètement guérie !

Le film montra ensuite la même fillette six semaines plus tard : sa peau était maintenant merveilleusement lisse et son teint clair.

La femme appuya sur une touche pour arrêter le film. Je pense que maintenant vous commencez à comprendre de quoi il retourne. Vous pouvez imaginer dans quelle mesure l'esprit contrôle nos vies, dit-elle. La Bible nous dit : "L'homme est à l'image de ses pensées." Votre esprit contrôle votre corps et il y a peu de choses, si tant est qu'il y en ait, qu'il ne puisse faire pour vous. Vous pourriez accomplir des prouesses apparemment impossibles - marcher sur des braises, éliminer la douleur et guérir d'un cancer - par le seul pouvoir de votre esprit. La seule chose que vous ayez à faire consiste à vous concentrer sur vos pensées pour vous débarrasser des croyances qui vous inhibent.

- Qu'entendez-vous par "croyances inhibitrices"? demanda le jeune homme.

- Eh bien, toute croyance qui vous rend incapable de réussir quelque chose est inhibitrice. Croyez-vous que ces gens que vous avez vus sur la vidéo auraient pu mettre un pied sur les braises ardentes s'ils n'avaient pas eu la certitude que l'on pouvait le faire sans se brûler ? Bien sûr que non. Pour guérir d'une maladie et introduire la santé dans sa vie, il suffit de focaliser le pouvoir de son esprit.

- Et on peut le focaliser grâce à la visualisation et aux affirmations ? demanda le jeune homme.

- Exactement. Je vois que vous apprenez vite, dit Mme Selsdon. Le pouvoir se trouve d'ores et déjà en vous. Tout ce que vous avez à faire et de le focaliser sur quelque chose, et pour ce faire, vous pouvez utiliser les visualisations et les affirmations.

- Combien de fois par jour et pendant combien de temps faut-il effectuer ces exercices ?

- Eh bien, vous devriez consacrer au moins 15 minutes trois fois par jour - matin, midi et soir, et plus souvent, si possible - à soigner votre corps au moyen des visualisations. Quant aux affirmations, vous devriez les mettre par écrit et les lire à haute voix aussi souvent que possible. Vous pouvez utiliser n'importe quelle affirmation qui vous donne le sentiment d'être en bonne santé, comme celles-ci, par exemple : "Je suis chaque jour un peu plus rayonnant de santé"; "Je suis fort, puissant, et ma santé est rayonnante"; "Chaque jour, je me sens de mieux en mieux, à tous égards."

Vous pouvez aussi élaborer vos propres affirmations. Mais quelles que soient celles que vous choisirez, vous devrez les énoncer à voix haute tous les jours, aussi souvent que possible et, au minimum, matin, midi et soir. Ce faisant, vous comprendrez peu à peu ce qu'est la santé florissante.

- Je dois dire que tout ce que j'ai appris aujourd'hui m'enthousiasme au plus haut point. Quelle sensation merveilleuse ! Je sais maintenant que je peux me venir en aide par mes propres moyens, dit le jeune homme. Mais, à propos, qui est ce vieux chinois qui m'a adressé à vous ?

- J'ignore complètement qui il est et d'où il vient. Il n'est jamais revenu pour prendre ses livres et, à dire vrai, cela ne m'a guère étonné. Quelque chose me dit qu'il m'a fait commander ces livres pour que je puisse les lire afin d'y trouver la foi et les lignes directrices dont j'avais tellement besoin. La seule chose dont je suis sûre, c'est que si je suis vivante aujourd'hui, c'est en grande partie grâce à lui. Il m'a appris l'une des plus importantes leçons qu'il m'ait été donné d'apprendre.

- De quoi s'agit-il ? demanda le jeune homme.

- C'est tout simple : il y a très peu de choses que votre esprit ne puisse faire, et la grande différence entre ceux qui guérissent d'une maladie et ceux qui n'y parviennent pas, c'est que les premiers croient fermement qu'ils ont en eux la capacité de guérir. C'est la première loi de la santé florissante ... la santé et la maladie dépendent essentiellement de l'esprit !

Mme Selsdon tira alors une plaque sur l'étagère qui se trouvait derrière elle.

- Pour moi, tout est dit dans cette phrase.

Sur la plaque, on pouvait lire cette inscription :

Seuls ceux qui s'en croient capables peuvent conquérir.

- Thomas Emerson

Plus tard ce soir-là, le jeune homme fit une synthèse des notes qu'il avait prises lors de sa rencontre avec Mme Selsdon.

Le premier secret de la santé florissante - la santé et la maladie trouvent leur source dans l'esprit.

Le pouvoir de l'esprit peut venir à bout de toute douleur, de toute maladie et il peut créer une santé florissante.

On peut concentrer son esprit sur la santé et la guérison grâce :

aux visualisations curatives (on peut, par exemple, consacrer 15 minutes de son temps, trois fois par jour, pour effectuer ces visualisations) ;

aux affirmations curatives (il faut répéter ces affirmations matin, midi et soir et, si possible, tout au long de la journée).

Le jeune homme se sentait mieux dans sa peau et il envisageait maintenant son état de santé de manière plus optimiste. Ce jour-là, il avait vu des choses merveilleuses et découvert des pouvoirs dont il n'aurait jamais pu soupçonner l'existence, même en rêve. Il sortit un bout de papier de sa poche et relut à voix haute les mots qu'il y avait noté :

Chaque jour, je vais de mieux en mieux, à tous égards.

Le Second Secret

Le pouvoir du souffle

Deux jours plus tard le jeune homme s'asseyait dans une salle paroissiale. Il observait le déroulement d'un cours de yoga en attendant de pouvoir parler au professeur, une femme du nom de Mme Vicki Croft. Ce nom était le second sur la liste du vieil homme et, comme la première personne, après qu'il eut évoqué le vieux chinois, celle-ci lui avait semblé au téléphone aussi enthousiaste que lui à l'idée de se rencontrer.

Après le cours, les étudiants remercièrent leur professeur et se dispersèrent peu à peu, les laissant tous deux seuls. Le jeune homme se dirigea vers Mme Croft et se présenta.

- Je suis ravie de vous rencontrer, dit Mme Croft en souriant. Ainsi le vieux chinois vous a conseillé de venir me voir ?

- Oui, répondit le jeune homme. Et pourtant, je ne connais même pas son nom.

- Je ne l'ai rencontré qu'une seule fois, dit Mme Croft, et il y a de cela plusieurs années. Mais je ne pourrais jamais l'oublier.

- Et pourquoi donc ? s'enquit le jeune homme.

- Parce qu'il m'a sauvé la vie !

Le jeune homme était stupéfait.

- Vraiment, il vous a sauvé la vie ?

- Oui. A l'époque, je souffrais d'asthme chronique, un problème qui n'avait fait qu'empirer depuis mon enfance. Je respirais avec difficulté et, parfois, cela devenait même très douloureux, même si j'arrivais toujours à contrôler la situation grâce à mon spray. Plus le temps passait, et plus les choses empiraient, et j'avais de plus en plus besoin de mon spray. Le simple fait de monter des escaliers me coupait le souffle.

Et puis, un jour, j'ai eu une terrible crise alors que je courais pour attraper un bus en sortant de mon travail. Tout le monde se précipitait vers moi et je me suis mise à suffoquer. J'ai pris mon spray, mais cette fois il n'a pas marché. Il était vide et j'ai bien cru que j'allais mourir.

Ensuite, je me souviens qu'un vieux petit chinois a placé ses mains sur mon dos et que la douleur est partie aussi soudainement qu'elle était apparue. C'était vraiment étonnant. J'ai ressenti l'énergie monter en moi et j'ai pu immédiatement respirer. Je n'avais jamais vécu une telle expérience auparavant. Je me sentais même mieux que si j'avais utilisé mon spray. Je lui ai demandé ce qu'il avait bien pu faire et il m'a dit qu'il avait libéré l'énergie bloquée dans le haut du dos.

Je ne comprenais pas vraiment ce qu'il voulait dire, mais pour moi, sa présence était miraculeuse. Je n'ai jamais su son nom et ne l'ai jamais revu, mais il m'a bel et bien sauvé la vie ce jour-là.

Ensuite, on s'est assis ensemble sur un banc à proximité. Pendant que je récupérais du choc, il m'a parlé des lois de la santé florissante et de la manière dont je pourrais venir à bout de mon asthme grâce à elles.

- Comment avez-vous guéri votre asthme ? demanda le jeune homme.

- Eh bien, il m'a fallu changer complètement mon mode de vie - de mon régime alimentaire jusqu'à la façon dont je gérais le stress - et modifier les types d'exercices que je pratiquais, ainsi que leur nombre. Il y a dix secrets de la santé florissante et ils sont tous importants, mais celui qui, semble-t-il, pouvait m'aider le plus était le secret du souffle.

- De quoi s'agit-il exactement ? demanda le jeune homme.

- C'est la respiration qui fait la différence entre la vie et la mort. La respiration profonde est essentielle pour une bonne santé, et c'est pourquoi nous devons apprendre à respirer correctement.

- Mais qu'entendez-vous par respiration "correcte"? demanda le jeune homme. Nous respirons de manière instinctive, n'est-ce pas ?

- Eh bien, oui, la respiration est un processus instinctif et entièrement naturel, mais bon nombre de gens ont perdu leur instinct. Lorsque vous êtes assis toute la journée, confiné dans un bureau à l'air conditionné, et que vous faites peu ou pas d'exercice, les muscles de votre diaphragme et de votre thorax s'affaiblissent très vite. Il vous est alors pratiquement impossible de respirer correctement.

- Pourquoi est-il si important de respirer correctement ? demanda le jeune homme.

- La respiration est vitale. Votre organisme peut survivre des semaines sans nourriture et des jours sans eau, mais, privé d'oxygène, vous ne pourriez survivre au-delà de quelques minutes.

C'est quelque chose de tellement simple que très peu de gens y pensent, et pourtant la respiration est une composante essentielle de la santé et du processus de guérison naturelle. Voyez-vous, lorsque vous respirez, vous contribuez en réalité à nourrir votre corps parce que c'est l'oxygène qui transporte les éléments nutritifs dans tout l'organisme. Vous pouvez manger les meilleurs aliments du monde et avaler les compléments vitaminiques et minéraux les plus onéreux, mais ils ne vous seront d'aucun secours s'ils ne peuvent atteindre toutes les cellules de votre corps. Et pour qu'ils puissent être transportés de manière efficace, vous devez respirer correctement.

En outre, la respiration profonde présente d'autres avantages, tout aussi importants, continua Mme Croft. Il faut savoir que l'oxygène que nous respirons crée de l'énergie.

- Que voulez-vous dire ? demanda le jeune homme.

- Eh bien, avez-vous déjà vu un feu de bois ?

- Bien sûr.

- Que se passe-t-il quand vous l'attisez.

- Les flammes s'élèvent de plus en plus.

- Et puis ... ?

- L'éclat du feu ne cesse d'augmenter ?

- Exact, dit Mme Selsdon. Le feu brille de plus en plus ! La même chose se produit à l'intérieur de votre corps lorsque vos cellules brûlent les calories. L'oxygène améliore la combustion des calories, ce qui crée davantage d'énergie.

- Je vois. Ainsi la respiration facilite l'acheminement des nutriments dans tout le corps et aide notre organisme à créer de l'énergie.

- Vous comprenez vite, je vois. Mais ce n'est pas tout. La respiration contrôle la circulation de l'oxygène dans tout notre corps ainsi que la circulation de la lymphe.

- Qu'est-ce que la lymphe ? demanda le jeune homme.

- Eh bien, la lymphe est un liquide semblable au sang qui contient des globules blancs. Son rôle est de protéger notre corps contre les agressions des bactéries et des virus. Elle entoure chacune des 75 trillions de cellules présentes dans notre corps. Comme vous pouvez l'imaginer, il y a donc beaucoup de lymphe. En fait, la quantité de lymphe est quatre fois supérieure à celle du sang. Le liquide lymphatique se répand dans le corps à travers des vaisseaux ou canaux très similaires aux veines, et ce système lymphatique joue dans l'organisme le rôle fondamental d'un réseau d'égouts.

Voici comment il fonctionne : les artères partent du cœur et distribuent le sang par de petits vaisseaux sanguins appelés "capillaires". Le sang transporte l'oxygène, avec les éléments nutritifs que nous avons ingérés, dans les capillaires. Puis cet oxygène et ces nutriments sont diffusés dans ce liquide - la lymphe - qui entoure les cellules. Les cellules de votre corps connaissaient parfaitement leurs besoins : elles absorbent l'oxygène et les éléments nutritifs nécessaires à leur santé, puis éliminent les toxines. Certaines toxines réussissent à revenir dans les capillaires, mais la plupart des cellules mortes, des protéines sériques et des autres éléments toxiques sont éliminés par le système lymphatique.

- Je vois, dit le jeune homme. Mais qu'est-ce qui active le système lymphatique ?

- C'est une très bonne question. Le système lymphatique est principalement activé par deux choses : l'exercice et la respiration profonde. En fait, des études ont montré qu'un peu d'exercice associé à la pratique de la respiration profonde peut multiplier par quinze la vitesse du drainage lymphatique. Eh oui, cela représente une augmentation de 1500 % uniquement grâce à la respiration profonde et à une pratique modérée des exercices physiques !

Le jeune homme était tellement stupéfait qu'il se mit à prendre des notes afin de ne rien perdre de ces explications.

- Les cellules de votre organisme utilisent la lymphe pour évacuer le trop plein de liquides et de déchets toxiques, expliqua Mme Croft. S'ils n'étaient pas évacués, ces déchets s'accumuleraient dans votre organisme. Imaginez ce qui se passerait chez vous si vous ne vidiez pas régulièrement votre poubelle.

- Je suis sûr que ça ne sentirait pas très bon !

- Précisément. Parce que cela favoriserait la formation de moisissures et de champignons et attirerait les rats et les cafards.

Le jeune homme acquiesça.

- Eh bien, lorsque les déchets toxiques ne sont pas évacués de l'organisme, la même chose se produit : des bactéries apparaissent, des virus et d'autres organismes parasites se mettent à pulluler. C'est en grande partie pour cela que les athlètes, par exemple, sont moins atteints de maladies dégénératives chroniques comme le cancer, les maladies cardio-vasculaires et le diabète que les individus de la population générale. En fait, selon une étude médicale récente, les sédentaires ont sept fois plus de chances de développer ces maladies que les athlètes.

Le jeune homme gribouilla quelques notes supplémentaires tandis que Mme Croft poursuivait ses explications.

- Les techniques de respiration servent également à contrôler la douleur. A tel point que l'on apprend à la plupart des femmes enceintes des exercices de respiration spécifiques afin de diminuer les douleurs de l'enfantement.

Une respiration correcte entraîne un autre bienfait très important pour la santé, dit-elle. C'est son action sur notre vie émotionnelle. La respiration profonde détend les muscles du thorax et a un effet calmant sur tout le système nerveux.

- Est-ce pour cela que l'on conseille aux gens de respirer profondément chaque fois qu'ils se sentent inquiets ou nerveux ? demanda le jeune homme.

- Tout à fait, dit Mme Croft. J'avais toujours le trac avant de donner une conférence sur le yoga, mais il me suffisait de respirer profondément pour me sentir immédiatement plus calme et détendue. Et pensez aux fumeurs. Ce n'est pas tant la cigarette qui les détend que le fait de respirer profondément. Le seul problème étant que les substances toxiques du tabac congestionnent et détruisent les poumons.

- Tout cela me semble très sensé, dit le jeune homme. Mais que faut-il faire pour respirer correctement ?

- Très bonne question, dit Mme Croft, et la réponse est très simple. Vous devez réapprendre à vos poumons à respirer. Au cours d'études cliniques conduites en Californie, on a introduit des caméras dans le corps de sujets pour déterminer quelle technique de respiration profonde avait le meilleur impact sur les circulations sanguine et lymphatique. Les chercheurs ont découvert que l'exercice suivant était le plus efficace pour oxygéner l'organisme et stimuler la circulation lymphatique :

Essayez de respirer au rythme suivant : inspirez pendant un temps, puis retenez votre souffle pendant quatre temps, et enfin expirez pendant deux temps.

Ainsi, si vous inspirez pendant quatre secondes, vous devriez retenir votre respiration pendant seize secondes et expirer pendant huit secondes. Prenez dix respirations profondes à ce rythme - un temps pour l'inspiration, quatre pour retenir votre souffle, et deux pour l'expiration. Ne forcez pas. Commencez par inspirer pendant trois à quatre secondes et apprenez petit à petit la technique. Respirez de l'abdomen et imaginez que votre poitrine est comme un aspirateur qui avale les toxines puis les rejette hors du corps.

- J'ai compris, dit le jeune homme. Mais pourquoi l'expiration doit-elle durer deux fois plus longtemps que l'inspiration ?

- Parce que c'est durant l'expiration que vous éliminez les toxines via le système lymphatique.

- Et pourquoi dois-je retenir ma respiration durant un laps de temps quatre fois supérieur à l'inspiration ?

- Parce que c'est comme cela que vous oxygénerez et activerez pleinement votre système lymphatique.

- Faut-il pratiquer souvent cet exercice ? demanda le jeune homme.

- Eh bien, on devrait l'effectuer au moins trois fois par jour - matin, midi et soir - et c'est ainsi que peu à peu vos poumons commenceront à respirer plus profondément tout au long de la journée, et cela se fera sans que vous ayez même à y penser. Votre respiration sera à nouveau correcte, c'est-à-dire instinctive, profonde et diaphragmatique.

Essayez cet exercice tout simple et vous verrez qu'en l'espace de dix jours votre énergie se sera considérablement accrue. Et croyez-moi, vous vous sentirez une autre personne.

- Je n'y manquerai pas. Merci. Tout ce que vous m'avez dit m'a beaucoup éclairé, dit le jeune homme.

- Mais ce fut une joie pour moi, répondit Mme Croft. C'est toujours avec un grand plaisir que je transmets ce que j'ai appris. Ces connaissances ont certainement contribué à améliorer ma santé au-delà de mes rêves les plus fous.

Ce soir-là, le jeune homme relut les notes qu'il avait prises lors de sa rencontre avec Mme Croft.

Le second secret de la santé florissante : la différence entre la vie et la mort réside dans notre respiration.

Pour venir à bout d'une maladie et rester en bonne santé, il est essentiel de pratiquer la respiration profonde.

Elle améliore la circulation sanguine et la circulation lymphatique.

Elle détend le système nerveux.

Elle favorise la création d'énergie.

Elle soulage du stress mental et émotionnel.

Elle nourrit, nettoie et détend le corps tout entier et calme l'esprit.

On peut l'apprendre en pratiquant, matin, midi et soir, l'exercice suivant :

inspirer aussi longtemps que cela est aisé ;

retenir sa respiration durant un temps quatre fois supérieur à l'inspiration ;

expirer durant un temps deux fois supérieur à l'inspiration ;

répéter l'exercice à dix reprises.

Le Troisième Secret

Le pouvoir de l'exercice

Le lendemain matin, le jeune homme rencontra la troisième personne de la liste au bord de la piste de course du parc municipal. Il s'agissait d'une dame du nom de Mary O' Donnell. Elle était l'entraîneur de l'équipe universitaire d'athlétisme. Mary, qui avait un teint frais, se présenta revêtue d'un survêtement couleur jade, portant des baskets et un bandeau. Ils s'assirent ensemble sur le banc du premier rang dans la petite tribune qui surplombait la piste de course.

- J'ai rencontré le vieil homme il y a de nombreuses années de cela, dit Mary. Mais je m'en souviens comme si c'était hier. Ça c'est passé le jour même où l'on m'a diagnostiqué une sclérose en plaques. Comme vous le savez peut-être, la sclérose en plaques est une grave affection du système nerveux central. C'est une maladie invalidante qui affecte toutes les fonctions du corps. Mon médecin m'avait dit qu'il n'y avait pas de traitement pour cette maladie, mais que l'on disposait de médicaments susceptibles de ralentir sa progression. Comme vous pouvez l'imaginer, cette nouvelle constitua un terrible choc. La situation semblait désespérée. L'après-midi, je me suis rendue dans ce parc. Je me suis assise là et j'ai fondu en larmes.

- En relevant la tête je me suis aperçue qu'un vieux chinois s'était assis à côté de moi sur le banc. Nous avons engagé la conversation et avons rapidement abordé le sujet des médecines naturelles et des secrets de la santé. C'était la première fois que j'entendais parler de ces choses et, manifestement, cela m'a donné beaucoup à réfléchir. Avant de me quitter, le vieil homme m'a donné une liste de personnes qui, m'a-t-il dit, pourraient m'aider. Il m'a également donné un article d'une revue de médecines douces qui, selon lui, pourraient m'intéresser.

J'ai trouvé l'article plus qu'intéressant. C'était incroyable ! Il concernait spécifiquement la sclérose en plaques.

- Qu'y avait-il là de si incroyable ? demanda le jeune homme.

- Eh bien, je n'avais pas dit au vieil homme que j'avais une sclérose en plaques. Je lui avais seulement dit que j'avais des problèmes de santé !

L'article évoquait le cas de nombreuses personnes qui avaient guéri de la sclérose en plaques. J'étais très excitée car c'était la première fois que j'entrevoyais l'espoir d'améliorer mon état. Je me suis dit que si ces gens avaient réussi à s'en sortir, je le pourrais moi aussi. Dans mon cas, heureusement, la maladie en était encore à un stade très précoce et, même si j'étais affaiblie, je pouvais toujours marcher.

- Comment ces gens ont-ils fait pour guérir ? demanda le jeune homme.

- Eh bien, plusieurs facteurs ont semble-t-il contribué à leur guérison, parmi lesquels le régime alimentaire, l'attitude mentale et l'exercice physique.

J'ai appris les secrets de la santé florissante et les ai mis immédiatement en pratique. J'ai complètement modifié mon régime alimentaire et mon mode de vie. Tout cela s'est révélé efficace, mais ce qui a sans doute le plus contribué à l'amélioration de mon état de santé, ce sont les exercices d'aérobie.

- Qu'entendez-vous par exercices "d'aérobie"? demanda le jeune homme.

- Tout exercice qui permet d'améliorer l'endurance cardio-pulmonaire, de respirer plus rapidement. "Aérobie" signifie littéralement "faire de l'exercice avec l'air". La marche rapide, la course, le cyclisme et la natation sont de bons exemples d'exercices d'aérobie. Je me suis mise à pratiquer la marche rapide et la natation tous les jours, et même si ce fut difficile au début - j'avais l'impression que mes jambes pesaient des tonnes - j'ai persévéré et, petit à petit, mes jambes se sont renforcées.

Au bout de quelques mois j'avais fait tellement de progrès que j'étais même capable de courir dans le parc.

Je me suis mise à faire régulièrement du jogging autour de la piste jusqu'à ce que je sois capable de faire huit tours, mais là, j'avais atteint mes limites car mes jambes ne pouvaient plus me suivre. Un neuvième tour de piste représentait toujours un tour de trop pour moi, mais un jour j'ai décidé de relever le défi. Quel qu'en soit le prix, il fallait que je boucle ce neuvième tour.

J'y suis allée doucement, mais mes jambes, comme d'habitude après huit tours, sont devenues lourdes. J'ai fait encore quelques foulées, mais mon état de faiblesse s'est aggravé et j'avais aussi mal aux jambes qu'au début de ma maladie. J'avais vraiment le sentiment de ne pouvoir faire un pas de plus, et encore moins de courir lorsque soudain, une voix derrière moi m'a dit, " Tenez bon, vous pouvez y arriver ! Ne laissez pas tomber maintenant." Je me suis retournée, et qui je vois en train de courir à mes côtés ? Le vieux chinois ! Il m'a regardée et a souri, puis m'a dit à nouveau : "Tenez bon, vous y êtes presque !"

Je ne saurais vous dire pourquoi, mais ses paroles m'ont donné le regain de force dont j'avais besoin pour continuer. Avec le vieil homme qui courait à mes côtés, j'ai bouclé un autre tour de piste. Et heureusement que je l'ai fait, car c'est à ce moment-là qu'est intervenu le changement le plus spectaculaire au niveau de ma santé.

Au moment où je me suis lancée pour ce neuvième tour, je me suis mise à transpirer abondamment. C'était comme si un barrage s'était rompu en moi : la sueur s'écoulait littéralement à flots hors de mon corps. J'ai soudain pris conscience que c'était la première fois depuis des années que je suais comme cela et j'ai pu alors courir plus fort et plus vite que jamais. J'ai compris que je venais de franchir une étape capitale sur la voie de ma guérison, peut-être la plus importante et, depuis lors, je ne me suis jamais plus retournée sur mes maux passés.

- Si j'ai bien compris, l'exercice physique a joué un rôle important dans votre guérison ? dit le jeune homme tout en gribouillant quelques notes.

- Absolument, dit Mary. En ce qui me concerne, j'ai dû aller au-delà de mes limites pour que ce changement spectaculaire intervienne, mais, pour la plupart des gens, le simple fait d'effectuer régulièrement de légers exercices d'aérobie est généralement suffisant.

C'est alors qu'un homme d'âge mûr qui passait devant nous en marchant rapidement dit : "Bonjour Mary."

- Salut Stan, comment vas-tu aujourd'hui ?

- Oh, on ne peut mieux, répondit l'homme.

- Me croiriez-vous si je vous disais que cet homme a eu une crise cardiaque l'année dernière ? dit Mary au jeune homme.

- Vous parlez sérieusement ? dit le jeune homme.

- Oui, absolument. S'il s'en est sorti vivant, c'est en grande partie grâce à une activité physique régulière. Voyez-vous, le fait de pratiquer régulièrement des exercices d'aérobie comme la course à pied, la marche, la natation et le cyclisme permet d'abaisser la tension artérielle et de réduire le taux de cholestérol dans le sang, ce qui est très bon pour le système cardio-vasculaire.

Le jeune homme gribouilla encore quelques notes tandis que Mary continuait de parler.

- Vous voyez cette dame qui fait du jogging là-bas ? Mary désignait du doigt une femme qui portait un short et un sweat-shirt. Elle souffre d'une douleur chronique aux genoux et aux hanches. Son médecin a dit qu'il s'agissait d'arthrite, mais la douleur a complètement disparu en quelques semaines lorsqu'elle s'est mise à faire tous les jours de l'exercice.

Si la douleur a disparu, c'est parce que l'exercice physique améliore la circulation des liquides organiques dans les articulations, ce qui leur évite l'arthrite, et maintient les os en bon état. En fait, le manque d'exercice affaiblit les muscles, entrave la circulation sanguine et provoque une perte de calcium des os, entraînant une ostéoporose ou une fragilité osseuse.

L'exercice est vraiment indispensable à notre santé. En vérité, nous n'avons pas été conçus pour un mode de vie sédentaire. Saviez-vous que si vous entraviez votre bras pendant seulement trois jours, ses muscles commenceraient déjà à s'atrophier ?

- Vraiment ?

- Oui, comme l'affirme ce vieux dicton : "Si tu ne t'en sers pas, tu le perdras !" Sans exercice physique, le corps tout entier s'affaiblit. L'action engendre la force. C'est la troisième loi de la santé florissante.

Le jeune homme était surpris par ces propos. Il avait toujours pensé que l'exercice était important pour la santé, mais il n'aurait jamais imaginé que ce fût à ce point. Il se rendit compte de ce qu'il avait fait très peu d'exercice ces dernières années. Dans ces conditions, il n'était pas étonnant qu'il fût devenu si faible.

- L'exercice est également important pour notre bien-être mental, poursuivit Mary. Peu de gens réalisent que moins ils font d'exercice, et plus ils risquent de sombrer dans l'introversion, l'anxiété, l'hypersensibilité et la dépression. Cela est dû au fait que nos émotions sont influencées par nos mouvements, ou par l'absence de mouvement. Des études cliniques ont montré que l'exercice contribue à soulager des troubles mentaux mineurs, parmi lesquels l'anxiété et même la dépression. C'est pourquoi, si vous vous sentez un peu déprimé, lancez-vous dans quelque activité physique : cela contribuera certainement à vous remonter le moral.

- Mais en quoi l'exercice physique affecterait-il notre vie émotionnelle ? demanda le jeune homme.

- C'est simple, dit Mary. D'abord, parce que l'exercice fait que le cerveau libère des substances semblables à la morphine - les bêta-endorphines - qui suscitent une sensation de bien-être émotionnel. De nombreux coureurs à pied éprouve un mieux-être mental après l'entraînement ; c'est la fameuse "extase du coureur". Ensuite, parce qu'il renforce notre état émotionnel, car nos émotions dépendent en réalité de notre physiologie ou de nos attitudes corporelles. Voyez-vous, la façon dont nous marchons, la manière dont nous nous tenons debout ou assis, et même la façon dont nous respirons, tout cela affecte notre état émotionnel.

C'est pourquoi la pratique régulière d'exercices d'aérobie joue souvent un rôle crucial dans la guérison de bon nombre de maladies physiques et mentales, et dans le maintien d'une santé florissante, dit Mary.

- Je vois, dit le jeune homme. Mais quelle est la meilleure forme d'exercice physique ? Et combien de temps doit-on y consacrer chaque jour ?

- Eh bien, n'importe quel exercice qui vous permette de transpirer et de respirer un peu plus vite fera l'affaire. La marche rapide, la pratique mesurée du jogging, la natation, le cyclisme et même la danse représentent tous d'excellentes formes d'exercice physique. Commencez doucement et accentuez peu à peu l'effort. Il est très important d'échauffer vos muscles et vos articulations avant d'effectuer des exercices intenses, sinon vous risquez une rupture musculaire ou une pathologie articulaire.

- Quelle est la meilleure façon de s'échauffer ? demanda le jeune homme.

- Eh bien, la façon la plus facile consiste à étirer chaque muscle et à faire travailler chaque articulation pendant sept secondes à plusieurs reprises de chaque côté du corps. Tous les muscles fonctionnent par paires et c'est pourquoi après avoir pratiqué l'étirement d'un côté, il ne faut pas oublier de le faire aussi de l'autre.

- Je vois, dit le jeune homme. Y a-t-il autre chose que je doive savoir ?

- Oui. Il est également très important de ne pas trop forcer. Allez-y doucement. Bon nombre de gens veulent trop en faire au début, ce qui entraîne souvent des claquages musculaires.

- J'ai compris, dit le jeune homme. Et quelle quantité d'exercice faut-il faire pour être en bonne santé ?

- C'est une bonne question, répondit-elle. Il n'est pas nécessaire d'aller au-delà de 30 à 60 minutes d'exercice quotidiennement et, en l'espace de dix jours, je peux vous assurer que vous noterez une grande différence. En fait, l'amélioration de votre état de santé vous stupéfiera, comme ce fut le cas pour moi.

- Tout ça me semble fantastique, s'enthousiasma le jeune homme. Je vais me mettre à faire de l'exercice dès aujourd'hui.

- Bonne chance et, je vous en prie, tenez-moi au courant de vos progrès.

- Bien sûr, dit le jeune homme. Merci pour tout. J'ai toujours su que l'exercice physique était important, mais je ne savais pas qu'il l'était à ce point. Au fait, quelle a été la réaction du vieux chinois lorsque vous avez réussi à boucler le neuvième tour de piste ?

- Je n'en sais rien. Lorsque j'ai achevé le tour, je me suis retournée pour remercier le vieil homme de ses encouragements, mais ... il n'était plus là. Mais, bien entendu, maintenant je sais qu'il sait, dit Mary.

- Comment cela ? demanda le jeune homme.

- Eh bien parce que je reçois de temps en temps des coups de fil de personnes comme vous !

Le jeune homme prit congé de Mary qui se mit à commencer ses étirements et ses échauffements. Juste avant de sortir du parc, il se retourna. Cette femme, qui était il y a peu encore handicapée, courait maintenant autour de la piste dans un mouvement gracieux et apparemment sans effort, comme si elle était portée par le vent.

Le jeune homme se sentit encore plus optimiste quant à son état de santé en relisant les notes qu'il avait prises lors de sa conversation avec Mary.

Le troisième secret de la santé florissante : l'action donne la force.

La pratique régulière de l'exercice améliore la circulation sanguine ;

elle renforce le cœur et les poumons ;

elle aide à venir à bout de nombreuses maladies physiques et mentales et elle est essentielle pour conserver une santé florissante.

Il faut pratiquer une forme d'exercice physique que l'on apprécie.

Cet exercice doit faire transpirer, doit activer la circulation sanguine et exiger des poumons un rendement supérieur.

Il faut toujours échauffer les muscles avant d'effectuer des exercices intenses, et on ne doit jamais trop forcer.

Il faut faire au minimum 30 minutes d'exercice chaque jour.

Le Quatrième Secret

Le pouvoir de la nutrition

Dux jours plus tard, le jeune homme était assis à une table de coin d'un petit restaurant très couru du centre-ville, le Country Cuisine. En face de lui se trouvait le propriétaire de l'établissement, la quatrième personne sur sa liste.

Mr. Edward Just était connu et respecté dans toute la ville. A plus de 80 ans, il adorait manifestement son travail et était encore très alerte. Il donnait toujours des cours de cuisine chaque mercredi soir. Cet homme avait une mission : pratiquer une alimentation saine et montrer comment on pouvait très facilement préparer de délicieux repas.

- Votre coup de fil a éveillé en moi pas mal de souvenirs, dit Mr. Just au jeune homme. Des souvenirs merveilleux ... lorsque j'avais 55 ans, il y a près de 30 ans de cela ...

- Vous plaisantez, n'est-ce pas ? dit le jeune homme en l'interrompant. Vous voulez dire que vous avez plus de 80 ans ?

- Mais oui, bien sûr.

- Ça alors ! Vous avez l'air d'avoir 50 ans !

- Merci, répondit le vieil homme avec un sourire. Laissez-moi vous montrer quelque chose, dit-il en tendant une photographie noir et blanc au jeune homme.

- Qui est-ce ? demanda le jeune homme.

- C'est à vous de me le dire.

- Je n'en sais rien. En tout cas, apparemment, il aurait besoin d'apprendre les secrets de la santé florissante.

La photo montrait un homme d'âge mûr d'une taille immense, souffrant d'un terrible embonpoint, le visage cireux et les yeux cernés. Pas besoin d'être médecin pour comprendre que cet homme n'allait pas bien du tout.

- C'est moi, avoua Mr. Just.

- Vous plaisantez ! s'exclama le jeune homme.

- Non, c'est vraiment moi. Il y a trente ans, j'étais quelqu'un de très différent de l'homme que vous avez en face de vous. Au train où allaient les choses, je n'aurais pas survécu deux ans de plus. Alors vous imaginez trente ans ....

- Qu'est-ce qui n'allait pas ? demanda le jeune homme.

- "Qu'est-ce qui allait bien ?" aurait été une meilleure question ! répondit Mr. Just. Pour commencer, j'étais diabétique.

- Mais ne dit-on pas que le diabète est une maladie incurable ? dit le jeune homme.

- C'est ce que l'on veut faire croire aux gens. Mais c'est faux. Prenez mon cas. Bon nombre de maladies que l'on pensait "incurables" sont aujourd'hui parfaitement guérissables. Pas avec des médicaments, devrais-je préciser, mais grâce aux remèdes naturels et à des modifications du mode de vie.

Le jeune homme pensa aux autres personnes figurant sur la liste du vieil homme qu'il avait rencontrées et au fait que toutes, sans exception, avaient dû modifier leur mode de vie pour régler leurs problèmes de santé.

L'hôte du jeune homme poursuivit son récit.

- Je souffrais également d'hypertension, d'ulcères à l'estomac et de problèmes intestinaux.

Mon médecin m'a prescrit un cocktail de médicaments et de stéroïdes et, au début, ils m'ont semblé assez efficaces. Mais après quelques semaines, j'ai commencé à souffrir de leurs effets secondaires - maux de tête, nausée, puis éruptions cutanées. J'étais tout le temps fatigué et mon état de santé général empirait régulièrement jusqu'à ce qu'un jour, la chance vienne à ma rencontre sous les traits d'un vieil homme qui devait changer ma vie.

- Un vieux chinois, je présume ? dit le jeune homme en l'interrompant.

- Comment avez-vous deviné ? demanda Mr. Just en souriant.

- Que s'est-il passé alors ?

- Ce fut vraiment étrange. A l'époque, j'avais un travail très stressant et il était rare que je trouve le temps de quitter le bureau pour aller déjeuner. Pourtant, un jour, je me sentais si mal que je me suis décidé à sortir pour déjeuner dans un petit café qui se trouvait de l'autre côté de la rue, juste en face de mon bureau. Je me suis assis dans un coin pour manger un hamburger au fromage et des frites lorsqu'un vieux chinois m'a demandé s'il pouvait se joindre à moi.

Le vieil homme s'est assis devant une grande salade et des pommes de terre au four. Nous avons échangé quelques propos aimables et puis, de manière tout à fait imprévisible, il m'a regardé droit dans les yeux et m'a dit que j'étais en train de creuser ma tombe avec mes dents. Je plaisantai gentiment de sa mise en garde, mais il insista et me dit quelque chose qui me bouleversa. Selon lui, les aliments que je mangeais aggravaient mes ulcères gastriques !

- Pourquoi cela vous a-t-il bouleversé ? demanda le jeune homme.

- Eh bien parce que je n'avais pas fait mention de mes ulcères devant lui. Je lui ai demandé comment il pouvait savoir que j'avais des ulcères gastriques et il m'a répondu qu'il pouvait le voir dans mes yeux.

- Vraiment ? dit le jeune homme.

- Oui. Je sais que cela paraît incroyable, mais c'est la vérité. J'étais intrigué par les propos de ce chinois, et je lui ai demandé ce qu'il avait bien pu "voir" d'autre. Le croiriez-vous, mais il savait que j'avais un taux de cholestérol dangereusement élevé et que je souffrais d'une insuffisance pancréatique.

Alors, puisque mon alimentation était selon lui en train de me tuer, je lui ai demandé ce que je devais manger. C'est à ce moment-là qu'il a évoqué les secrets de la santé florissante. Il m'a patiemment expliqué que pour construire sa santé, il faut avoir un mode de vie sain et donc, suivre les lois de la nature. Il existe dix lois de la santé florissante qui, si l'on s'y conforme, permettent d'avoir véritablement une santé éclatante. Cependant, si on les enfreint, elles entraîneront tout aussi sûrement la maladie. Elles sont toutes importantes, mais celle que je vous recommande tout spécialement est la loi de l'alimentation saine, qui stipule que l'on est ce que l'on mange, le moment où l'on mange et la manière dont on mange.

Après avoir rencontré le vieux chinois ce jour-là, je suis allé consulter plusieurs personnes à propos de ma santé. Suivant leurs conseils, la première chose que j'ai modifiée fut mon régime alimentaire. J'ai effectué quelques changements importants dans le choix de mes aliments, dans celui de mes heures de repas et dans ma façon de manger. Vous me croirez ou non, mais en l'espace de six semaines mon taux de cholestérol était redevenu normal, mes ulcères avaient disparu et je n'ai plus eu la moindre aigreur d'estomac ! Et le plus incroyable dans tout cela, c'est que mon diabète avait disparu !

- Incroyable est le mot ! dit le jeune homme.

- N'est-ce pas ? dit Mr. Just. Incroyable mais vrai.

Depuis lors, j'ai lu des comptes rendus d'études cliniques mettant en évidence que 75 % des patients diabétiques adultes qui avaient suivi une alimentation pauvre en graisses et riches en fibres ont été complètement guéris en l'espace de huit semaines !

J'ai enfin compris la portée extraordinaire de cette loi de la santé florissante et j'ai décidé d'étudier en profondeur la science de la nutrition. J'ai appris qu'une alimentation saine peut se résumer à six règles simples grâce auxquelles, sans le moindre doute, n'importe qui peut à venir à bout de nombreuses maladies et conserver une santé florissante.

Le jeune homme écoutait maintenant avec plus d'attention et rédigeait fiévreusement des notes tandis que Mr. Just poursuivait ses explications.

La première règle d'une alimentation saine consiste à choisir des aliments complets, frais et non raffinés. Une bonne nutrition, c'est comme la construction d'une maison. La qualité d'un bâtiment dépend entièrement de celle des matériaux utilisés, n'est-ce pas ?

Le jeune homme acquiesça, mais il n'était pas sûr d'avoir bien compris la différence entre aliments "raffinés" et aliments "non raffinés".

- Les aliments raffinés, expliqua Mr. Just, sont ces aliments qui ont perdu l'essentiel de leurs qualités nutritives comme le pain blanc, le sucre blanc et même les céréales de petit-déjeuner sous emballage. La plupart des vitamines, des minéraux et autres éléments nutritifs sont extraits ou détruits durant le processus de raffinage et ces aliments ne contiennent généralement que du sucre et des amidons.

- Mais je mange du pain blanc et ce genre de céréales, et il y a écrit sur l'emballage qu'ils sont "enrichis en vitamines", protesta le jeune homme.

- Ce ne sont que des publicités mensongères. En réalité, le fabricant extrait 100 éléments nutritifs de l'aliment et se contente d'y rajouter cinq vitamines artificielles. Je ne sais pas ce que vous en pensez, mais pour moi, les aliments de ce genre sont tout sauf "enrichis"!

- Mais au fond, en quoi les sucres et les amidons sont-ils dangereux ? insista le jeune homme. Je pensais qu'ils donnaient de l'énergie.

- Eh bien, il est vrai que les sucres et les amidons jouent un rôle dans la production d'énergie, mais il en est de même pour beaucoup d'autres éléments nutritifs, parmi lesquels le calcium, le zinc, le fer et bien d'autres minéraux et vitamines. Les aliments raffinés ont perdu la plupart de ces éléments nutritifs et c'est pourquoi votre organisme doit les prélever dans vos propres os et tissus. En conséquence, votre organisme perd une grande partie des minéraux et des vitamines qu'il gardait en réserve. En réalité, les aliments "raffinés" privent votre corps de ressources vitales.

- Mais alors, quels sont les aliments "non raffinés" que nous devrions consommer ?

- Les fruits et légumes frais ; les céréales complètes - riz, pain, orge, avoine, millet et seigle. Ensuite, il y a les légumes à gousse et les légumineuses, les fruits à écale (noix, etc) et les graines. Voilà quels sont les aliments complets qui constituent la base d'une alimentation saine. Ils contiennent des protéines, des glucides, des vitamines, des minéraux et des acides gras essentiels, et tout cela dans les proportions que la Nature a estimées idéales pour vous.

Bien entendu, chaque fois que c'est possible, il vaut mieux consommer des aliments issus de l'agriculture biologique.

- Que signifie "aliments biologiques"? demanda le jeune homme, avide d'en apprendre davantage.

- Ce sont des fruits et légumes qui ont été cultivés sans engrais chimiques, pesticides ou autres produits chimiques. Tous les produits chimiques utilisés par l'agriculture conventionnelle sont potentiellement toxiques. Les aliments biologiques - qui sont cultivés naturellement - ne contiennent pas de tels résidus chimiques et renferment des quantités bien plus élevées d'éléments nutritifs.

La deuxième règle de l'alimentation saine est la suivante : une bonne nutrition est indissociable d'une bonne digestion. Souvenez-vous de ce que je vous ai dit : l'important n'est pas seulement ce que nous mangeons, c'est aussi le moment du repas et la façon de manger !

- Je ne suis pas sûr de comprendre, dit le jeune homme.

- Il ne serait pas bon de manger des aliments complets si on ne peut pas les digérer, et la seule façon de bien digérer consiste à manger au bon moment et de manière correcte. Ainsi, par exemple, il est difficile de bien digérer des aliments si on ne mâche pas longuement chaque bouchée. De même, l'organisme est incapable de bien digérer si l'on est en colère, ou bien fatigué, ou encore si l'on mange à toute vitesse.

Nombreux sont ceux qui "avalent" leur repas. Ils mangent dans la précipitation entre deux occupations et ils se demandent ensuite pourquoi ils souffrent d'indigestions. Il faut manger dans une atmosphère détendue et apprécier les plats. Lorsque l'on savoure les aliments, la sécrétion salivaire augmente, ce qui est nécessaire à la digestion des hydrates de carbone, et l'estomac peut sécréter plus facilement de l'acide chlorhydrique pour digérer les protéines. Mais le plus grand obstacle à une bonne digestion est peut-être l'heure à laquelle nous mangeons.

- En quoi l'heure du repas affecte-t-elle la digestion ? demanda le jeune homme.

- Tout dans la nature fonctionne selon des horaires fixes et précis, expliqua Mr. Just. Du coucher du soleil jusqu'à l'éclosion d'une tulipe, toute chose vient à son heure et le corps humain ne fait pas exception. Il sa propre horloge interne, plus précise et mieux réglée que nous pourrions l'imaginer. L'heure du repas est très importante, car elle détermine la qualité de notre digestion.

Ainsi, la vitesse de métabolisme - la vitesse à laquelle votre organisme convertit les aliments en énergie - est beaucoup plus lente le soir que le matin. Cela signifie que le soir, les calories sont brûlés beaucoup moins efficacement. C'est pourquoi, si vous mangez la majeure partie de votre ration quotidienne le soir, vous aurez tendance à prendre plus de poids que si vous mangiez la même quantité de nourriture le matin.

En outre, si vous mangez tard le soir, vous aurez tendance à mal dormir, et il y a de fortes chances pour que vous vous réveilliez fatigué le lendemain matin.

- Et pourquoi donc ? demanda le jeune homme.

- Quand nous mangeons le soir, le système digestif est contraint de travailler durant toute la nuit ; le cerveau ne peut se reposer parce qu'il est obligé d'envoyer des messages à l'estomac et aux intestins pour qu'ils sécrètent les enzymes et les sucs digestifs indispensables.

- Je vois, dit le jeune homme. Y a-t-il d'autres moments où il vaut mieux ne pas manger ?

- Oui, lorsque l'on est très fatigué ou très stressé car, dans ces cas-là, le système digestif ne fonctionne pas très bien et les aliments ne sont alors pas bien digérés.

Le jeune homme gribouilla fiévreusement des notes tandis que Mr. Just poursuivait son propos.

- La troisième règle d'une alimentation saine est de ne jamais trop manger.

N'oubliez jamais ceci : en matière d'alimentation, moins égale plus. Il est beaucoup plus facile de manger des aliments en petite quantité qu'en grande quantité. Un estomac en bonne santé n'est pas plus gros que votre poing. Lorsque nous mangeons trop, l'estomac se gonfle inévitablement et cela entrave le processus digestif, tout comme le fait de mettre trop de charbon dans la chaudière fait baisser la température. Plus grave encore, l'excès de calories crée un surplus de graisses qui surcharge le cœur et les articulations. Il existe un vieux dicton : "Mange jusqu'à ce que ton estomac soit à moitié plein, bois jusqu'à ce que ta soif soit à moitié assouvie, et tu seras sûr d'avoir une vie pleine et entière."

La quatrième règle d'une alimentation saine est qu'un régime alimentaire devrait être constitué à 70 % d'aliments riches en eau - fruits, légumes, graines germées et légumineuses à graines. Les 30 % restants devraient être constitués d'amidons, de protéines et de matières grasses. Cela peut sembler étrange, car l'homme occidental moyen mange peu d'aliments riches en eau et une grande quantité d'amidons et de protéines - beaucoup de viande, beaucoup de pain et de pommes de terre, et peu de légumes. Mais cet occidental moyen est malade. En Occident, une personne sur trois est ou sera atteinte d'un cancer, et une sur deux meurt d'une maladie cardiaque. Et pensez un instant à ce fait : la terre est constituée à 70 % d'eau, exactement comme le corps humain. N'est-il pas logique que notre alimentation respecte les mêmes proportions ?

- Ne pourrait-on se contenter de boire davantage d'eau ? demanda le jeune homme.

- C'est une bonne question, dit Mr. Just. D'abord, dans la plupart des cas, l'eau que l'on consomme n'est pas très pure. Il y a de fortes probabilités qu'elle contienne du chlore, du fluor, des métaux mous et autres substances toxiques. Mais, de toute façon, vous ne pouvez pas nettoyer votre organisme en le noyant. De même que nous ne devrions manger que lorsque nous avons faim, nous ne devrions boire que lorsque nous avons soif. Une alimentation basée sur des aliments riches en eau est une alimentation purifiante et nourrissante. Quand nous manquons de liquides, notre sang s'épaissit et les déchets toxiques ne peuvent plus être éliminés efficacement. Notre régime alimentaire devrait comprendre des aliments qui aident notre organisme à se construire et se purifier lui-même.

Le jeune homme essaya durant un moment d'évaluer la quantité d'aliments riches en eau qu'il consommait habituellement et ce qu'il découvrit l'horrifia : la quantité en était infime. Il mangeait surtout de la viande, des pommes de terre, du pain et du beurre, accompagnés de quelques rares légumes cuits.

- La cinquième règle d'une alimentation saine, continua Mr. Just, est très importante : il faut éviter les cinq "destructeurs de cellules".

- Que sont les destructeurs de cellules ? demanda le jeune homme.

- Les destructeurs de cellules sont ces aliments qui sont particulièrement dangereux pour la santé parce qu'ils détruisent les cellules. Il faut éviter le plus possible ces aliments. Moins vous en consommerez, et mieux vous vous porterez. Je vais vous expliquer pourquoi.

Le plus terrible des destructeurs de cellules est le sucre raffiné. Le sucre est un aliment mortel. En dehors du fait qu'il abîme les dents, il s'agit d'un produit raffiné, ce qui implique qu'il prive votre corps de ses ressources vitales. En outre, il détruit votre système immunitaire. Saviez-vous qu'il suffit de six cuillers à café de sucre pour réduire le nombre de vos globules blancs - les cellules qui combattent les microbes et les bactéries - de 25 %? Et plus vous consommez de sucre, plus le nombre de cellules détruites augmente.

N'oubliez pas que le sucre se dissimule souvent dans de nombreux autres aliments comme les friandises, les chocolats, les boissons fraîches, les gâteaux et les biscuits, et même dans les fruits et légumes en conserve.

Le deuxième destructeur de cellules comprend les produits animaux - viandes, volailles, poissons. Considérons tout d'abord la viande et la volaille ; de nombreuses études ont démontré que le facteur principal dans la plupart des maladies dégénératives chroniques est la consommation de viande. Il faut savoir qu'aujourd'hui la plupart des viandes proviennent d'animaux élevés dans des fermes industrielles. Cela signifie que ces animaux sont élevés dans des conditions "industrielles" - enfermés dans des boxes étroits, ils ne peuvent jamais paître en liberté ni voir la lumière du soleil. On les gave d'antibiotiques (pour écarter le risque d'épidémie favorisé par de si terribles conditions de vie), d'hormones et de stimulateurs de croissance, ce qui rend la viande particulièrement toxique.

- Mais les légumes et les fruits ne sont-ils pas eux aussi traités avec des produits chimiques dangereux ? demanda le jeune homme.

Mr. Just sourit.

- C'est tout à fait exact, dit-il, tout à fait exact. Mais, à poids égal, la viande contient beaucoup plus de substances toxiques que les fruits et légumes. Un professeur norvégien a comparé un chou de l'agriculture conventionnelle à un poulet et a découvert que ce dernier contenait 10 millions de fois plus de substances toxiques.

Les fruits et légumes biologiques sont cultivés sans produits chimiques et sont bien entendu préférables. Ils sont plus nutritifs et ne contiennent pas de substances toxiques dangereuses pour la santé. Mais même ceux qui proviennent de l'agriculture conventionnelle sont beaucoup, beaucoup moins toxiques que la viande.

- Mais qu'en est-il de la viande "biologique"? insista le jeune homme.

- Eh bien, il ne fait aucun doute qu'elle est meilleure que la viande des animaux élevés en batterie, mais elle demeure malgré tout extrêmement dangereuse pour la santé. La viande n'est tout simplement pas un aliment sain.

Voyez-vous, la viande et la volaille sont aussi très riches en graisses et particulièrement en acides gras saturés qui provoquent une agrégation plaquettaire avec comme conséquence une artériosclérose. Dans ces conditions, il n'est guère surprenant que la moitié de la population meure de maladies cardiaques qui, pour la plupart, sont provoquées par l'excès de graisse et de cholestérol présent dans la viande, les aliments à base de produits laitiers et le chocolat.

- Mais ne dit-on pas que la viande est bonne pour la santé ? dit le jeune homme. N'avons-nous pas besoin de viande pour reconstituer notre énergie ?

- En aucune façon. En fait, c'est exactement le contraire. La première chose que l'organisme brûle pour trouver de l'énergie, ce sont les hydrates de carbone. La viande contient très peu d'hydrates de carbone. Par contre, elle est très riche en graisses et en protéines, et l'excès de protéines entraîne un excès d'azote, lequel à son tour provoque un état de fatigue.

- Mais j'ai entendu dire que nous avons besoin de viande en grande quantité pour avoir une ossature solide, dit le jeune homme.

- Là encore, c'est une grossière erreur. Les gens qui mangent de la viande sont ceux qui ont les os les plus fragiles, parce que la viande contient une quantité astronomique d'acide urique. L'acide urique est ce qui donne à la viande son goût, mais il est aussi hautement toxique. Vous voyez, votre corps ne peut éliminer qu'environ un demi-gramme d'acide urique par jour, alors qu'un hamburger de 100 grammes peut en contenir un gramme. Cet excès d'acide urique irrite les tendons et les articulations, provoque de l'arthrite et fait baisser le taux de calcium dans les os.

- Et le fer, alors ? demanda le jeune homme. Où peut-on trouver assez de fer si on ne mange pas de viande ?

- Vous trouverez plein de fer dans les légumes verts, les céréales et les légumineuses. En fait, pour une même quantité de calories, les lentilles, les épinards, les brocolis et même les abricots secs contiennent davantage de fer que le beefsteak. Une tasse de riz complet contient plus de fer qu'un hamburger de 100 grammes. Il est faux de prétendre que les végétariens sont plus souvent atteints d'anémie que les mangeurs de viande. D'autre part, des études médicales récentes ont révélé que l'excès de fer joue un rôle dans les maladies cardio-vasculaires.

- Mais pourquoi le poisson serait-il mauvais ? demanda le jeune homme. Je pensais qu'il était très bon pour la santé.

- Le poisson est sans doute moins dangereux que la viande, mais ce n'est certainement pas un aliment bon pour la santé. La plupart des mers sont si polluées que, comme le montre des études gouvernementales, près de la moitié de tous les poissons ont des tumeurs cancéreuses. Quant aux poissons d'élevage, tout comme les animaux d'élevage, ils sont gavés d'antibiotiques, afin de maîtriser les éventuelles épizooties, d'hormones, pour favoriser une croissance rapide, et de colorants chimiques pour donner une coloration rose à la chair.

On a qualifié le poisson d'aliment sain parce qu'il contient des acides gras oméga 3 qui, pense-t-on, peuvent aider les personnes atteintes de maladies cardio-vasculaires et d'arthrite. Cependant, les cellules graisseuses du poisson sont fortement polluées. D'autre part, certaines huiles végétales contiennent plus d'acides gras oméga 3 que le poisson. Des études médicales ont démontré que les acides gras de ces huiles étaient plus efficaces que ceux des poissons.

La chair des autres créatures vivantes, qu'il s'agisse de viande ou de poisson, n'est fondamentalement pas adaptée à l'être humain, qui est intrinsèquement un herbivore. Les herbivores ont des mâchoires qui se meuvent latéralement et verticalement, et des dents conçues pour broyer, alors que les mâchoires des carnivores ne se meuvent que de haut en bas et que leurs dents ne peuvent que couper et déchirer, et non broyer. Les intestins des herbivores font généralement plus de sept mètres de long, tandis que ceux des carnivores ne dépassent pas un mètre, de telle sorte que la chair de leurs proies est expulsée avant qu'elle n'ait le temps de se putréfier. La plupart des anthropologues admettent que l'homme était à l'origine un primate vivant de la cueillette des produits végétaux.

Une alimentation sans viande peut nous fournir tous les éléments nutritifs dont nous avons besoin. A mon époque, on considérait les végétariens comme des farfelus, mais c'étaient les médias qui avaient créé cette légende. Et d'après vous, qui étaient donc ces farfelus ? C'était les grands penseurs et les grands philosophes qui ont jalonné l'histoire, depuis Socrate, Pythagore et Platon dans la Grèce antique, jusqu'à, plus récemment, Léonard de Vinci, Henry David Thoreau, Albert Einstein, Isaac Newton, Benjamin Franklin, George Bernard Shaw, Léon Tolstoï, H. G. Wells, Mark Twain, Voltaire et Gandhi. Il y a quand même plus farfelus que ces gens-là, ne croyez-vous pas ? Et n'oubliez pas que la plupart d'entre eux ont vécu très vieux et en bonne santé.

Le jeune homme prenait activement des notes tandis que Mr. Just poursuivait ses explications.

- Le troisième destructeur de cellules sont les produits laitiers - lait, fromages, crème et beurre. Les êtres humains sont les seules créatures sur terre à boire le lait d'autres espèces et les seules également à boire du lait après le sevrage.

- Mais que reprochez-vous donc aux produits laitiers ? demanda le jeune homme, qui commençait sérieusement à se demander s'il pourrait manger à l'avenir autre chose que des feuilles de laitue et des carottes.

- Le lait de vache est tout à fait indiqué pour les veaux, mais certainement pas pour les humains. Vingt pour cent de la population ne fabrique pas de présure (ou lactase), qui est nécessaire pour digérer le lactose, le sucre fermentescible contenu dans le lait. En outre, on a estimé que quatre personnes sur cinq étaient allergiques à la caséine, la principale protéine du lait.

Les produits laitiers sont les aliments les plus nocifs que vous puissiez manger. Ils suscitent la production d'une très grande quantité de mucosités dans l'organisme, ce qui affecte la digestion parce que les mucosités se fixent sur les parois stomacales et intestinales, puis se durcissent, formant ainsi une barrière que les nutriments ne peuvent plus franchir. Les mucosités s'accumulent également dans les poumons et provoquent de nombreux troubles respiratoires, parmi lesquels la bronchite et l'asthme.

Les produits laitiers contiennent des matières grasses en grande quantité, ce qui, comme je l'ai déjà dit, provoque bon nombre de maladies cardio-vasculaires.

- Mais n'avons-nous pas besoin du calcium des produits laitiers ? demanda le jeune homme.

- Pas du tout, dit Mr. Just. En fait, des études ont montré que les individus qui consommaient le plus de produits laitiers présentaient également les plus bas niveaux de calcium. Ainsi, par exemple, les Norvégiens figurent parmi les plus grands consommateurs de produits laitiers au monde, mais ils présentent également l'un des taux les plus élevés d'ostéoporose (ou fragilité osseuse) au monde. A l'inverse, les Bantous, en Afrique, absorbent moins d'un quart de la consommation moyenne de calcium par habitant en Occident, et pourtant ils ne sont affectés d'aucune maladie liée à un déficit calcique. Ainsi, il est rare qu'il se brise un os ou qu'ils perdent une dent. Quelle en est la raison ? Leur alimentation pauvre en protéines fait que beaucoup moins de calcium est évacué hors de l'organisme que ce n'est le cas avec l'alimentation riche en protéines des pays occidentaux.

En fait, le calcium des produits laitiers ne peut pas être bien absorbé et c'est pourquoi on constate souvent des dépôts calciques autour des articulations - ce qui provoque des arthrites - et sur les parois artérielles, ce qui entraîne un durcissement des artères. Et pensez à ceci : la vache mange surtout de l'herbe, qui ne contient pratiquement pas de calcium, et produit malgré cela de grandes quantités de calcium dans son lait. De même, les êtres humains trouvent tout le calcium dont ils ont besoin ailleurs que dans le lait, dans les légumes-feuilles et les céréales. Ainsi, une tasse de brocolis émincés contient bien plus de calcium qu'une tasse de lait.

Le quatrième destructeur de cellules est le sel de table ou chlorure de sodium.

- Que reprochez-vous donc au sel de table ? Je croyais que l'organisme avait besoin de sodium, dit le jeune homme.

- Le corps a effectivement besoin de sodium car celui-ci contribue à assurer un bon équilibre hydrique de l'organisme, renforce la puissance musculaire, participe au bon fonctionnement du système nerveux et maintient un bon équilibre des acides dans le sang et les urines. Mais il faut savoir que les fruits et les légumes - tomates, céleri, épinards, choux, carottes et même les fraises - regorgent de sodium. On peut trouver dans les légumes et les aliments complets que nous consommons tout le sodium dont notre organisme a besoin. L'excès de sodium peut être très nocif.

La plupart des gens absorbent beaucoup trop de sodium sous la forme de sel de table. Ainsi, par exemple, notre corps a besoin approximativement de 3000 milligrammes de sodium chaque jour, selon le mode de vie de chacun - on peut ainsi perdre beaucoup de sodium en transpirant. Une cuiller à café de sel de table contient environ 2000 milligrammes de sodium ! En conséquence, bon nombre de gens peuvent absorber une quantité de sodium quatre ou cinq fois trop élevée s'ils consomment du sel de table ou s'ils mangent beaucoup d'aliments en conserve ou transformés qui contiennent également de grandes quantités de sel.

Le sel de table est un sodium inorganique qui a été blanchi et raffiné. Il irrite l'estomac et entrave la digestion. Si vous souhaitez vraiment saler vos aliments, il vaut beaucoup mieux utiliser du sel marin parce qu'il est non raffiné, non blanchi et qu'il contient les minéraux essentiels et les oligo-éléments dont votre organisme a absolument besoin. Quoi qu'il en soit, sachez que l'excès de sodium peut provoquer une rétention d'eau qui réduira la quantité d'oxygène nécessaire à vos cellules, et qu'il peut même provoquer une hypertension artérielle. En fait, la plupart des personnes atteintes de maladies cardio-vasculaires et bon nombre de personnes souffrant de problèmes hépatiques et rénaux se voient prescrire par leur médecin un régime pauvre en sel. Ne vaut-il pas mieux fermer la porte de l'étable avant que le cheval ne prenne la poudre d'escampette ?

Le cinquième destructeur de cellules comprend le thé, le café et l'alcool.

- Je savais, bien sûr, que l'excès d'alcool est nocif parce qu'il s'attaque aux reins et au foie, mais en quoi le thé et le café peuvent-ils être dangereux ? demanda le jeune homme.

- Le café et le thé, comme l'alcool, sont des excitants néfastes pour l'organisme. Ainsi, par exemple, le thé et le café contiennent tous deux de la caféine qui est une drogue puissante. Deux tasses de thé ou de café contiennent une dose pharmaceutique de caféine suffisante pour stimuler le cerveau et augmenter le taux de glycémie. C'est vrai qu'en buvant un café ou un thé vous vous sentirez plus alerte dans un premier temps, mais cette sensation disparaîtra bien vite. Votre taux de glycémie s'abaissera encore plus, ce qui fait que vous vous sentirez encore plus fatigué qu'avant.

D'autre part, lorsque vous buvez plusieurs tasses de thé ou de café, vous devenez plus nerveux et votre rythme cardiaque s'accélère. Je suppose que vous l'avez remarqué. Parfois cela peut provoquer un tremblement des mains.

Le jeune homme acquiesça. Il se souvint que quelques semaines auparavant ses mains s'étaient mises à trembler, un soir, peu après qu'il eut avalé quatre grandes tasses de café à la suite.

Mr. Just poursuivit ses explications.

- En outre, la nocivité de la caféine ne se limite pas à l'excitation du système nerveux et à l'accroissement du taux de glycémie car elle augmente également la tension artérielle et le taux de cholestérol, elle irrite l'estomac, épuise les réserves de l'organisme en vitamines B, tandis que l'acide oxalique présent en grande quantité dans le thé et le café peut même léser vos reins. Un chercheur spécialisé dans les allergies alimentaires a affirmé que la caféine est l'un des principaux aliments responsables des réactions allergiques, parmi lesquelles l'insomnie, les maux de tête, la nervosité, l'irritabilité et les problèmes de peau.

En outre, le thé contient des tannins qui peuvent entraver l'absorption du fer par l'organisme et provoquer une anémie.

Si on les consomme en petite quantité, le thé et le café ne sont pas nocifs. Mais si on en boit trop, c'est-à-dire plus de deux tasses par jour, ils peuvent alors s'avérer très dangereux.

Le jeune homme se plongea dans une réflexion profonde à propos des cinq règles de l'alimentation saine et il dut reconnaître, à son grand désarroi, qu'il n'en avait respecté aucune. Il n'était pas étonnant qu'il fût si malade. Mais cette question de la nutrition le plongeait maintenant dans une sorte de dépression.

- Je comprends bien ce que vous me dites, dit-il à Mr. Just, mais que me reste-t-il donc à manger ? J'avoue que la perspective d'en être réduit aux feuilles de chou et de salades ne m'enchante guère.

- Oh, mais vous n'y êtes pas du tout. Les aliments complets naturels ne sont pas condamnés à être sans saveur. Ils peuvent constituer les plats les plus délicieux que l'on puisse imaginer. Venez avec moi, je vais vous montrer.

Ils se rendirent au centre de la pièce où était présenté sur des tables un grand choix de plats divers. Sur une table il y avait un choix de deux soupes - l'une à la crème de brocoli et l'autre aux poireaux et pommes de terre - et à côté d'elles il y avait cinq sortes de pains tout juste sortis du four. Le jeune homme reconnut le pain de seigle, le pain complet avec grains concassés et le pain de blé complet, mais il n'avait jamais entendu parler du pain de millet ou du pain noir. Un peu plus loin se trouvaient divers plats magnifiquement présentés. Le jeune homme pouvait presque "goûter" l'arôme des herbes fraîches qui venaient d'être cuisinées. Il lut les noms des plats inscrits à côté de chacun d'eux : riz complet aux graines de sésame, croquettes de millet, patates douces farcies aux courgettes et aux noisettes, jardinière de légumes à la sauce aigre-douce, goulasch hongrois, ainsi qu'un vaste choix de crudités et de salades.

Sur une autre table se trouvaient des plateaux de fruits secs, de müesli et de fruits coupés en tranches. Il y avait même diverses "crèmes" sans lait - aux amandes et à la fraise, à la framboise et aux noisettes, et une autre fabriquée avec des graines de caroube qui avait le goût du chocolat et qui d'ailleurs avait la même apparence.

- Jusqu'ici, je n'avais jamais vu une telle variété d'aliments pour le déjeuner, dit le jeune homme.

- Je vous remercie. Nous faisons tout notre possible pour satisfaire tous les goûts, dit son hôte.

Après avoir rempli son plateau avec un bol de soupe, un pain de millet, une assiette de riz complet et de goulasch, le jeune homme retourna à sa table.

- Alors, ça vous plaît ? demanda le vieil homme au moment où le jeune homme attaquait sa deuxième bouchée.

- Absolument délicieux. Cela a vraiment beaucoup de goût, dit le jeune homme avec enthousiasme.

- Et croyez-moi, c'est très bon pour la santé et extrêmement nourrissant, dit Mr. Just.

Les deux hommes déjeunèrent ensemble et le jeune homme savoura chaque bouchée. Ce fut l'un des repas les plus délicieux qu'il eût pris depuis longtemps - un repas à n'en pas douter incomparablement meilleur que son habituel hamburger-frites. Il prit la résolution de faire davantage attention à sa santé en ne choisissant que les meilleurs aliments naturels.

Après le déjeuner, le jeune homme fit une synthèse des notes qu'il avait prises en écoutant Mr. Just :

Le quatrième secret de la santé florissante : le pouvoir d'une bonne alimentation.

Il n'y a pas de santé florissante sans une bonne nutrition.

La nutrition : on est ce que l'on mange, le moment où l'on mange et la manière dont on mange.

Les cinq règles d'une bonne alimentation :

Une bonne alimentation est semblable à la construction d'une maison. Il faut choisir des aliments complets, frais, non raffinés et biologiques.

Une bonne alimentation nécessite une bonne digestion. C'est pourquoi il faut bien mâcher, manger dans une ambiance détendue, et ne pas manger tard le soir ou entre les repas.

Moins égale plus ! Ne jamais trop manger.

Soixante-dix pour cent des aliments que nous mangeons devraient être riches en eau.

Il faut éviter au maximum les destructeurs de cellules - sucre, viande, poisson, produits laitiers, sel de table, thé, café et alcool.

LE CINQUIÈME SECRET

Le pouvoir du toucher

La personne suivante sur la liste du jeune homme était un jeune journaliste du nom de Neil Collins. Mr. Collins avait un visage chaleureux avec des yeux rieurs et il émanait de lui cette énergie et ce plaisir de vivre que le jeune homme avait déjà remarqués chez les autres personnes qu'il avait rencontrées jusqu'ici.

- Ce vieux chinois est un drôle de bonhomme, n'est-ce pas ? dit Mr. Collins au jeune homme. Il m'a fait découvrir un médicament miraculeux qui m'a sauvé la vie.

- Un médicament miraculeux ? répéta le jeune homme. Mais le vieil homme m'a dit que les médicaments n'étaient pas d'une grande utilité thérapeutique !

- Oh mais ce remède-là ne sort pas d'une fiole. En fait, il s'agit d'un médicament que très peu de médecins prescrivent et vous ne le trouverez certainement pas en pharmacie.

Le jeune homme était intrigué. Mais diable ! de quoi ce journaliste parlait-il ?

Mr. Collins continua son récit.

- Pourtant, il s'agit d'un remède cité depuis au moins 3000 ans. En outre, on a récemment prouvé que non seulement il pouvait contribuer à la guérison de nombreuses maladies, mais encore qu'il aidait beaucoup à conserver la santé. C'est un remède très simple, que tout le monde peut se procurer facilement, partout et n'importe quand ...

- Mais de quel remède s'agit-il ? demanda le jeune homme avec insistance.

- Du rire ! répondit-il en éclatant de rire au spectacle de l'expression incrédule du jeune homme.

Le jeune homme n'en croyait pas ses oreilles.

- Vous plaisantez, n'est-ce pas, dit-il.

- Pas du tout, dit Mr. Collins. Je vais vous raconter une histoire. Il y a dix ans de cela, j'étais handicapé et allongé sur un lit d'hôpital en raison d'une affection articulaire appelée "spondylarthrite ankylosante". Il s'agit d'une maladie dégénérative qui affecte les articulations sacro-iliaques et la colonne vertébrale et qui entraîne de fortes douleurs. Le pronostic n'était pas bon. On m'avait dit que moins d'une personne sur 500 guérissait de cette maladie.

- Mon état ne faisait qu'empirer. Les analgésiques devenaient de moins en moins efficaces et la douleur était pratiquement constante, jour et nuit. Je me demandais combien de temps j'allais pouvoir tenir comme ça. J'étais désespéré et j'ai bien cru que j'allais mourir. Et puis, un jour, un miracle s'est produit.

Un médecin que je ne connaissais pas est entré dans ma chambre et m'a demandé comment j'allais. Je lui ai dit à quel point je me sentais mal en point et il m'a répondu que j'avais besoin de quelque chose de plus efficace que les analgésiques pour soulager mes douleurs. Il me dit ensuite qu'il devait aller voir quelqu'un mais qu'il reviendrait un peu plus tard. En attendant, il me suggéra de regarder la télévision pour oublier un peu mes terribles soucis. Il alluma le récepteur et choisit une chaîne qui diffusait une de mes émissions favorites, Cheers. Avez-vous déjà vu cette comédie de situation ? demanda-t-il au jeune homme.

- Oui, c'est également l'une de mes émissions préférées.

- Eh bien, ce soir-là, l'épisode était désopilant. C'était sans doute l'un des plus drôles de la série et j'ai ri sans arrêt. A la fin de l'émission, le docteur est revenu et m'a demandé à nouveau comment j'allais. Et c'est seulement à ce moment-là que je me suis rendu compte que je ne souffrais plus ! C'était incroyable. N'oubliez pas que c'était la première fois que je ne ressentais plus de douleurs depuis le début de ma maladie.

Le docteur ne fut pas surpris. Il me dit que le rire était l'un des meilleurs remèdes qu'il connût. Nous avons bavardé un petit moment, puis il m'a donné les noms de certains de ses collègues qui, m'a-t-il dit, pourraient me venir en aide lorsque je sortirais de l'hôpital.

Malheureusement, quelques heures plus tard la douleur est revenue. J'étais à nouveau au bord de la dépression quand, tout à coup, j'ai eu une révélation.

- Laquelle ? demanda le jeune homme, très intrigué.

- J'ai compris que la solution à mon problème était de trouver un moyen de rire. J'ai alors demandé que l'on installe un magnétoscope dans ma chambre et j'ai regardé les anciens épisodes de Cheers que j'avais enregistrés. Et, exactement comme je l'avais prévu, ça a marché. A chaque épisode, la douleur se calmait un peu plus. Le rire apaisait vraiment mes souffrances. A un point tel que, après quelques jours, je décidai de quitter l'hôpital parce que la nourriture y était mauvaise, l'atmosphère étouffante et que je me suis dit que je serais beaucoup mieux quelque part à la campagne au grand air, avec de l'eau pure et des aliments frais. Et c'est ainsi que je me suis installé dans un hôtel tranquille et que j'ai visionné bon nombre de mes vidéos favorites - des films et des émissions télévisées qui me faisaient rire.

Il va sans dire qu'en dehors du rire à haute dose, je me suis également efforcé de suivre un bon régime alimentaire, de vivre au grand air et de faire de plus en plus d'exercice physique. Beaucoup de choses sont nécessaires pour créer un mode de vie sain. Il est indispensable de respecter nombre de lois de la nature, des lois que j'ai découvertes grâce aux personnes figurant sur la liste du vieil homme. Mais le facteur qui a le plus contribué à mon rétablissement fut tout simplement le rire.

Après quatre mois, la douleur avait totalement disparu et les examens que j'ai passés peu après montrèrent que j'étais complètement guéri. Il n'y avait plus aucune trace de la maladie. J'étais venu à bout d'une affection - dont moins d'une personne sur 500 guérit en suivant les prescriptions de la médecine conventionnelle - sans prendre de comprimés ni quelque remède que ce soit, si ce n'est une bonne provision de rire.

- C'est stupéfiant, dit le jeune homme, mais, selon vous, comment le rire a-t-il pu vous aider à ce point ?

- C'est une question intéressante et d'ailleurs, j'ai voulu approfondir ce point à l'époque. J'ai effectué des recherches et j'ai découvert quelques études très étonnantes expliquant les effets très bénéfiques du rire sur la santé. Voyez-vous, le rire a un effet extraordinaire sur notre organisme. Ainsi, il provoque dans le cerveau la sécrétion de substances semblables à des hormones - les endorphines - qui sont des analgésiques naturels et qui contribuent également à stimuler notre système immunitaire.

Le rire accroît aussi l'activité respiratoire en stimulant le cœur et les poumons, ce qui nous permet d'absorber davantage d'oxygène - une quantité suffisante d'oxygène étant absolument indispensable à notre santé.

- C'est vrai, j'ai appris il y a quelques semaines auprès d'un professeur de yoga à quel point il est important de bien respirer, dit le jeune homme en l'interrompant.

- Eh bien, le rire est l'un des moyens les plus amusants et efficaces d'améliorer la capacité pulmonaire, et un bon gros rire stimule également les fonctions intestinales en provoquant un massage des organes et des tissus abdominaux. En fait, cela signifie que l'apport sanguin à tous les organes vitaux s'améliore chaque fois que l'on rit.

Le rire a aussi des effets bénéfiques sur notre équilibre mental. Plusieurs études ont montré que les gens se concentraient mieux après avoir ri, et que le rire réduisait même les effets du stress. Saviez-vous, par exemple, que le taux des hormones du stress - l'adrénaline et le cortisol - baisse lorsque nous rions ?

Regardez un peu ceci, dit le journaliste en prenant un livre sur un rayon. C'était une Bible qu'il feuilleta jusqu'à ce qu'il trouve ce qu'il cherchait.

- Voilà, j'y suis. Lisez ceci. Proverbes, 17:22, et il tendit la Bible au jeune homme.

Le passage disait ceci :

Un cœur joyeux fait du bien comme remède, mais un esprit abattu dessèche les os.

- Ces mots ont été écrits il y a plus de 3000 ans. Le corps médical les ignore toujours, mais, croyez-moi, il n'y eut jamais paroles plus vraies. Le rire est vraiment un remède qui vous aidera à venir à bout de n'importe quelle maladie et qui vous aidera également à rester en bonne santé.

C'est à ce moment-là que le jeune homme réalisa à quel point il avait peu ri ces derniers mois. Sous l'effet du stress et des contraintes de la vie quotidienne, il était devenu tendu et trop sérieux.

- Il n'est pas si facile de rire quand la vie est à ce point stressante.

- C'est vrai, vous avez absolument raison, dit Mr. Collins. Mais c'est dans les moments de stress qu'il est le plus nécessaire de rire. La meilleure chose à faire dans une situation stressante est de chercher quelque chose de drôle et de se dire ceci : "Qu'y a-t-il d'amusant dans cette situation ?" ou bien " Que pourrait-il y avoir d'amusant dans cette situation ?" Dans la vie, vous ne trouverez que ce que vous y cherchez. Si vous recherchez l'enchantement, votre vie sera un enchantement ; si vous recherchez les catastrophes, votre vie sera alors remplie de désastres ; et si vous recherchez le rire, alors vous aurez une vie joyeuse et saine.

Maintenant, laissez-moi vous poser une question. N'avez-vous jamais vécu des expériences qui vous ont semblé contrariantes sur le moment, mais qui, des mois ou des années plus tard, vous ont amusé ?

Le jeune homme acquiesça. Il se souvint d'un incident survenu des années auparavant, lorsqu'un soir, tandis qu'il faisait l'intéressant pour impressionner sa petite amie, un garçon de café renversa un plateau de desserts sur lui. Sur le moment, il fut à la fois très en colère et terriblement gêné, mais quelques semaines plus tard il riait avec des amis de cet incident.

- Pourquoi attendre pour rire de ses expériences ? continua Mr. Collins. Pourquoi ne pas voir immédiatement le côté amusant de l'existence ? La vie est une pièce de théâtre, mais on peut en faire soit une tragédie soit une comédie ... Cela ne dépend que de nous, vous comprenez ?

Cette révélation enthousiasma le jeune homme et il prit la résolution de changer de point de vue.

- Je dois vous dire, dit-il à Mr. Collins, que tout cela me semble absolument fantastique et en même temps parfaitement logique. Dorénavant, je me prendrai moins au sérieux et je ferai mon possible pour prendre une bonne dose de rire chaque jour. Sur ce, il referma son bloc-notes.

- Ah, une dernière chose, dit le jeune homme. Le médecin qui vous avait rendu visite ce jour-là, c'était bien le vieux chinois, n'est-ce pas ?

- Biens sûr, qui voulez-vous que ce fût ? répondit le journaliste. Et je vais vous dire quelque chose : j'ai compris qu'un miracle s'était produit lorsque je suis retourné voir mon médecin à l'hôpital après ma guérison. Il me dit qu'il n'avait jamais vu auparavant une guérison si complète chez un malade atteint d'une affection aussi grave. Je lui ai dit que tout le mérite en revenait à son collègue, le vieux chinois. Il ne voyait pas à qui je faisais allusion, car il n'y avait aucun médecin chinois dans cet hôpital !

Je suis moi-même incapable de vous dire qui est ce vieil homme ou d'où il vient, mais je sais que c'est vraiment un homme hors du commun.

Le jeune homme s'en était bien sûr douté depuis le début, mais les témoignages des personnes qu'il avait rencontrées n'avaient fait que renforcer cette impression. La voie de la santé florissante s'ouvrait maintenant devant lui - une voie qui le conduisait vers des vérités simples quant à un mode de vie sain.

- Dites-moi, avant de partir, dit le journaliste, connaissez-vous l'histoire de ce type qui rentre dans un bar avec un crocodile ... ?

Derrière la porte du bureau, la secrétaire de Mr. Collins entendit les voix de deux hommes en train de prendre leur remède favori : le rire.

Plus tard ce soir-là, le jeune homme relut les notes qu'il avait prises lors de sa rencontre avec Mr. Collins.

Le cinquième secret de la santé florissante - le rire : un remède vieux comme le monde.

Le rire est un remède efficace qui contribue à soulager les douleurs et à guérir de nombreuses maladies.

Le rire améliore la respiration, active le cœur et les poumons, favorise le transit intestinal en provoquant un massage de tous les organes abdominaux.

Le rire stimule le système immunitaire.

Le rire améliore la concentration et apaise le stress.

LE SIXIÈME SECRET

Le pouvoir du repos

Le jeune homme dut attendre deux semaines avant de pouvoir rencontrer la personne suivante sur la liste du vieil homme. Durant ce temps, il suivit les conseils qu'on lui avait donnés et il fut stupéfié par l'amélioration de son état général. Sa famille et ses amis constatèrent également le changement. S'il avait eu des doutes au début sur l'efficacité des secrets de la santé florissante, ils avaient maintenant bel et bien disparu. Il ne se souvenait pas s'être senti si bien à un moment quelconque de sa vie.

Richard Shaw était "consultant pour la maîtrise du stress" et très différent des autres hommes d'affaires prospères qu'il avait rencontrés jusque-là. Il avait un visage rayonnant de santé, des yeux étincelants et une attitude calme, rassurante et détendue.

- Alors comme ça vous voulez découvrir les secrets de la santé florissante ? dit Mr. Shaw. Je les ai découverts pour la première fois il y a quinze ans de cela. A l'époque, je peux vous dire que ma vie était très différente. J'étais un agent de change très heureux en affaires et je gagnais beaucoup d'argent. Mais, en même temps, quelque part, j'étais très pauvre.

- Que voulez-vous dire ? demanda le jeune homme.

- Ma santé était mauvaise et sans la santé, à quoi peuvent bien servir toutes les richesses du monde ? Je travaillais dur, parfois seize heures par jour, et j'étais très stressé. Je gérais des sommes colossales, littéralement des millions de livres chaque jour. Une décision erronée, et des centaines de milliers de livres, si ce n'est des millions, pouvaient partir en fumée.

- En effet, quelle terrible pression ce devait être ! reconnut le jeune homme.

- Comme vous dites, terrible ... Mais cette pression devait bientôt me porter un tort considérable. J'avais de plus en plus de mal à me détendre, et j'ai fini par me réfugier dans l'alcool chaque soir pour trouver le calme. Parfois, j'étais si tendu qu'il m'arrivait de prendre des tranquillisants. Au bout de quelques années de ce régime, j'étais devenu une sorte d'épave sur le plan physique et nerveux. Je souffrais d'hypertension artérielle, d'ulcères à l'estomac et j'avais des migraines effroyables. Et même si je gagnais beaucoup d'argent, mon état de santé hypothéquait gravement mon avenir.

- Et comment en êtes-vous venu à changer de vie ? demanda le jeune homme.

- Un voyage en train, répondit Mr. Shaw.

Le jeune homme eut l'air surpris.

- Que voulez-vous dire ? dit-il.

- Un jour, je rentrais chez moi dans un train qui s'est brusquement arrêté entre deux gares. Il était bondé et, plus l'arrêt se prolongeait, et plus je devenais nerveux. Ma poitrine se serrait de plus en plus et je commençais à avoir du mal à respirer. Je ne le savais pas à l'époque, mais en fait, il s'agissait d'une crise cardiaque.

Je me suis alors évanoui, et lorsque j'ai repris connaissance, je me suis retrouvé allongé par terre. Ensuite, j'ai vu le visage d'un vieux chinois qui s'était agenouillé à mes côtés. Il a examiné mes yeux et m'a dit que j'avais eu une légère crise cardiaque et que je souffrais d'un épuisement nerveux.

Il m'a conduit à l'hôpital local pour un examen approfondi et, chemin faisant, il m'a parlé des effets du mode de vie sur la santé. C'est alors que j'ai entendu parler pour la première fois des secrets de la santé florissante. J'ignorais totalement que des choses aussi simples que la nourriture ou l'exercice physique puissent avoir une telle influence sur notre état de santé. Le vieux chinois m'a alors remis une liste de personnes qui pourraient m'enseigner les secrets de la santé florissante, et je me suis vite rendu compte que mon mode de vie favorisait davantage la maladie que la santé. Toutefois, la règle de vie que j'avais le plus négligée au cours de ma vie professionnelle était la sixième loi de la santé florissante : le pouvoir du repos et de la relaxation.

- De quoi s'agit-il ? demanda le jeune homme.

- Oh, c'est tout simple : le repos rajeunit le corps et l'esprit. On ne pourra jamais avoir une santé éclatante si on n'accorde pas de repos à son corps et à son esprit. Quand on y pense, c'est tellement simple, et pourtant c'est quelque chose que nous avons tous tendance à négliger.

Toute créature vivante a besoin de repos - les êtres humains, les animaux, et même la terre - car cela fait partie du plan de la nature. Tous les végétaux, tous les animaux se reposent en temps voulu. La Bible nous dit que même le Seigneur s'est reposé le septième jour après avoir créé le monde, et pourtant, nous les humains, nous croyons trop souvent pouvoir nous en passer. Nous traversons la vie à un rythme frénétique sans prendre le temps de ralentir la cadence, et encore moins de faire une petite pause. Nous n'avons pas le temps de contempler les derniers rayons du soleil par un soir d'été, de sentir le doux parfum des fleurs de cerisier au printemps, ni d'écouter le chant des oiseaux. Avez-vous remarqué qu'à une époque où nous disposons de tant de machines qui nous font gagner du temps - téléphones, fax, machines à laver, sèche-linges, aspirateurs, ordinateurs, voitures, avions, etc. - les gens sont toujours en manque de temps ? Ils semblent plus agités qu'ils ne l'ont jamais été.

La tension d'un jour est reportée au lendemain, puis au jour souvent, et ainsi de suite. C'est pourquoi tant d'individus sont constamment fatigués et atteints de maladies chroniques.

J'étais comme tant d'autres - très stressé et en permanence épuisé. Heureusement pour moi, il n'était pas trop tard pour me racheter. C'est ainsi que j'ai appris à me détendre et à me reposer comme il faut. Et c'est ainsi que mon état de santé s'est considérablement amélioré. Tous mes symptômes disparurent et ma tension artérielle est redevenue normale en quelques semaines. C'était véritablement incroyable.

- Vraiment ? dit le jeune homme. Le simple fait de prendre davantage de repos a favorisé votre guérison à ce point ?

- Absolument, dit Mr. Shaw. Un repos convenable aux plans physique et mental est quelque chose d'essentiel pour notre bien-être. Des études scientifiques ont prouvé que la détente mentale et physique réduisait jusqu'à 50 % la quantité d'oxygène dont l'organisme a besoin et jusqu'à 30 % la charge de travail du cœur. En outre, elle abaisse l'hypertension. La relaxation profonde réduit également la quantité de lactate dans le sang - une substance associée à l'anxiété, la névrose et l'hypertension. Des études ont montré que le tracé électroencéphalographique devenait plus régulier, que la vigilance et les temps de réaction s'accroissaient, et que la mémoire à court terme et la mémoire à long terme s'amélioraient toutes deux après le repos.

De même, si l'on sait se reposer, on dort mieux, on souffre moins de maux de tête, on a davantage d'énergie et l'état de santé général s'améliore. Qui plus est, le fait d'être reposé peut améliorer les relations familiales et sociales en raison d'une irritabilité moindre. Il ne fait aucun doute que le repos et la relaxation sont des facteurs essentiels de la santé et du bien-être.

- Tout cela est très intéressant, mais comment faire pour bien se relaxer ou se reposer ? demanda le jeune homme. Lorsque l'on est stressé, il est tellement difficile de se détendre ! Et vous avez vous-même dit qu'à l'époque, vous aviez dû vous en remettre à l'alcool et aux tranquillisants.

- C'est une très bonne question qui mérite la meilleure réponse possible, dit Mr. Shaw. La première chose à faire consiste à laisser votre esprit se reposer. Tous les jours, nous avons besoin de prendre le temps de contempler, de méditer et de nous détendre. La plupart des gens sont incapables de travailler efficacement plus d'une heure à la fois sans faire une pause. La concentration commence à se relâcher et c'est pourquoi le fait de travailler pendant de longues périodes de temps sans faire de pause va à l'encontre du but recherché. De courtes pauses régulières sont absolument indispensables au bureau. Si les patrons autorisaient leurs employés à en faire régulièrement, ils s'apercevraient qu'ils sont plus efficaces, qu'ils font moins d'erreurs et qu'ils deviennent plus créatifs et productifs. Une petite pause de dix minutes est du temps très bien employé, non seulement sur le plan de la santé, mais également sur celui du travail. C'est tout ce qui est nécessaire pour reposer des os fatigués et un esprit perturbé. Ces dix minutes représentent une sorte de congé mental qui calme le système nerveux et qui donne un regain d'énergie et une merveilleuse sensation de régénération.

- Mais n'est-ce pas ce que nous faisons pendant notre sommeil ?

- Pas nécessairement. Il est vrai que nous avons tous besoin de dormir, mais ne vous est-il jamais arrivé de vous réveiller le matin après une longue nuit de sommeil et de vous sentir tout aussi fatigué qu'au moment où vous vous étiez couché ?

Le jeune homme acquiesça.

- Oui, en fait ça m'est arrivé assez souvent, dit-il.

- Et dans ce cas, pensez-vous que vous étiez bien reposé ?

- Non, je suppose que non. Le jeune homme se rendit soudain compte que bien qu'il eût l'habitude de dormir beaucoup, il se réveillait toujours fatigué et ne s'était jamais vraiment senti reposé.

- Le fait de dormir beaucoup ne signifie pas que votre dose de repos soit suffisante. Le sommeil est très important - la plupart des gens ont besoin de six à huit heures de sommeil par jour - mais le véritable repos requiert un état d'esprit paisible sinon votre mental continuera à vous tracasser pendant que vous dormez. La plupart des gens se font du souci pour de petits problèmes, parfois même pour des choses insignifiantes, et cela mine leur énergie et les empêche de se reposer.

- Je suis moi-même un grand inquiet, dit le jeune homme, et je l'ai toujours été.

- Ah, mais le fait de l'avoir toujours été n'implique pas nécessairement que vous le serez toujours. Le passé ne détermine pas le futur. Il est certain que si vous continuez à faire ce que vous avez toujours fait, vous vivrez toujours les mêmes expériences ! On peut changer, croyez-moi. Il existe une formule simple en deux étapes pour arrêter de se faire du souci et pour développer une attitude positive.

- De quoi s'agit-il ? demanda le jeune homme.

- C'est très simple. La première étape est la suivante : Ne t'inquiètes pas des choses insignifiantes de la vie. Et la deuxième est celle-ci : N'oublies pas que la plupart des choses dans la vie sont insignifiantes.

Nous avons vraiment besoin de prendre la vie moins sérieusement, et chaque fois que nous nous sentons énervés ou frustrés, nous devrions seulement nous poser cette question : "Dans dix ans, qui se souciera de cet incident ?" Si vous réalisez que personne ne s'en souciera alors, c'est qu'il s'agit presque certainement d'une chose insignifiante et qu'elle ne vaut donc pas la peine que l'on perde son temps à s'en inquiéter.

Pour reposer notre esprit et notre corps, nous devons également apprendre à vivre la vie au jour le jour. Jésus a dit : "Donne-nous aujourd'hui notre pain quotidien." Pas hier ou demain, mais aujourd'hui. Il nous faut apprendre à vivre au jour le jour. Nous ne trouverons jamais le repos si nous nous appesantissons continuellement sur le passé ou si nous nous inquiétons du futur.

Il existe un autre moyen important de s'assurer un repos suffisant : prendre un jour de repos chaque semaine. Un jour pour oublier les problèmes du bureau, les factures qui s'accumulent ou les soucis quotidiens. Prenez un jour par semaine pour profiter de votre famille, pour relâcher la tension accumulée et pour vous détendre.

Le fait de prendre un seul jour de repos par semaine vous paraîtra peut-être un moyen de guérison trop simple, mais en réalité il revêt une grande importance. Toutes les grandes religions du monde se réfèrent à la notion de sabbat, le jour de repos que les juifs doivent observer le samedi. Peut-être le Seigneur nous a-t-il donné un jour de repos pour nous rappeler qu'il faut régulièrement tout arrêter pour avoir le temps de s'adonner à la contemplation et de se détendre. Ce jour est un sanctuaire où nous pouvons être en paix avec nous-mêmes et avec le monde.

Le jeune homme repensa à sa propre vie. A chaque jour suffit sa peine. Il travaillait dur durant la semaine et il était également très occupé le week-end. Il ramenait souvent du travail à la maison. Il n'était pas étonnant dans ces conditions qu'il se sente en permanence si fatigué.

- Il y a une autre façon de se relaxer, expliqua Mr. Shaw. Elle est à la fois fondamentale et très facile : c'est la respiration profonde.

- Ah oui, j'ai rencontré une femme merveilleuse qui m'a appris comment effectuer les exercices de respiration profonde, s'exclama le jeune homme. La respiration profonde contribue à débarrasser le système lymphatique des déchets et à nourrir les tissus de l'organisme.

- Oui, c'est exact, mais elle contribue également à détendre l'esprit et le corps, dit l'homme d'affaire. Voyez-vous, lorsque vous êtes stressé ou tendu, les muscles de votre thorax se tendent et cela, bien sûr, provoque divers problèmes de santé. La respiration profonde contribue à détendre le haut du corps et apaise le système nerveux. Les gens hypertendus ont en général une respiration superficielle, tandis que les gens calmes et détendus ont une respiration profonde.

Voici donc quels sont les principes fondamentaux du repos et croyez-moi, ils ont complètement changé ma vie. Quand je repense à tout cela, c'est vraiment incroyable : j'ai été sauvé et mon destin s'est trouvé transformé à la suite d'une crise cardiaque dans un train. J'ai alors eu la chance de rencontrer ce vieux chinois qui m'a appris l'importance du repos et de la détente.

En rentrant chez lui ce soir-là, le jeune homme fit une synthèse des notes qu'il avait prises lors de sa rencontre extraordinaire avec Mr. Shaw.

Le sixième secret de la santé florissante : le pouvoir du repos et de la détente. On ne peut avoir une santé florissante sans accorder du repos au corps et à l'esprit.

Le repos rajeunit le corps et l'esprit ;

il est vital pour notre santé physique et émotionnelle ;

il réduit de moitié la quantité d'oxygène nécessaire à l'organisme ;

il réduit de 30 % la charge de travail du cœur ;

il abaisse l'hypertension artérielle.

Il améliore la mémoire à court terme et la mémoire à long terme.

Il faut prendre régulièrement de courtes pauses durant la journée.

Il est recommandé d'utiliser la formule en deux étapes pour cesser de se faire du souci.

Il faut prendre un jour de repos par semaine.

Il faut faire des exercices de respiration profonde, surtout lorsque l'on se sent stressé ou nerveux.

Le Septième Secret

Le pouvoir de la posture

La septième personne sur la liste du jeune homme était un homme du nom de Ian Townsend. Mr. Townsend était un dentiste qui vivait et travaillait à son domicile dans un faubourg de la ville. Le jeune homme éprouvait une certaine inquiétude à l'idée de rencontrer Mr. Townsend, car il ne s'était jamais senti à l'aise en présence d'un dentiste. D'un autre côté, l'opinion d'un dentiste à propos de la santé florissante l'intriguait.

Le rendez-vous avait été fixé à 10 heures ce samedi-là et, comme d'habitude, le jeune homme arriva à l'heure pile, muni du carnet dont il ne se séparait jamais. En outre, pour cette occasion, il avait pris soin de se brosser méticuleusement les dents !

Un homme de petite taille, effacé et vêtu de manière décontractée d'un jeans et d'une chemise blanche vint à sa rencontre.

- Bonjour. Mr. Townsend ? demanda le jeune homme.

- C'est moi-même. Je suis ravi de vous rencontrer. Entrez, je vous prie.

A la surprise du jeune homme, le dentiste ne le conduisit pas dans son cabinet mais dans la salle de séjour.

- Ainsi, un vieux gentleman chinois vous a donné mon nom, dit Mr. Townsend. Je l'ai rencontré il y a plus de dix ans de cela ... mais, lorsque je ferme les yeux, je peux le voir et l'entendre comme si c'était aujourd'hui.

A l'époque, j'étais très déprimé et je traversais des moments difficiles. Mon état de santé se détériorait peu à peu. J'avais sans cesse des bronchites et de graves problèmes digestifs. Tous les examens médicaux étaient négatifs. Apparemment, tout allait bien, mais j'étais certain que derrière ces symptômes il devait y avoir quelque chose. Si tout allait bien, comme n'arrêtait pas de me le dire mon médecin, je ne me serais pas senti aussi mal.

Je ne voulais pas prendre de médicaments pour gérer ma dépression, mais d'un autre côté ma situation me paraissait sans issue. C'est alors que, par un matin glacial et sombre, juste avant Noël, j'ai rencontré votre ami, le vieil homme ... et ma vie s'en est trouvée transformée.

Le jeune homme était subjugué par le récit de Mr. Townsend.

- Je promenais mon chien dans le parc comme d'habitude. L'herbe était couverte de givre, le jour commençait tout juste à poindre et je me souviens qu'une pleine lune était toujours visible dans le ciel.

J'étais en train de jouer avec mon chien en lui lançant des bouts de bois, lorsque j'ai eu soudain la gorge arrachée par de sévères quintes de toux. C'était affreux et extrêmement douloureux. C'est alors que j'ai senti une main se poser sur mon épaule. Un homme m'a dit de m'asseoir d'une voix douce aux intonations asiatiques. Je l'ai vu à ce moment-là : un vieux chinois se tenait debout à mes côtés, et j'ai ressenti une chaleur, je dirais même une forte chaleur, qui émanait de sa main posée sur mon épaule, et presque instantanément, j'ai arrêté de tousser.

Nous nous sommes tous deux assis sur un banc et avons discuté durant un petit moment. C'est alors que j'ai entendu parler pour la première fois des secrets de la santé florissante. Inutile de dire que j'ai dû introduire pas mal de changements importants dans ma vie pour améliorer mon état de santé, mais une chose s'est révélée particulièrement efficace dans mon cas. C'était une chose que je n'avais jamais prise en considération jusque-là : le pouvoir de la posture !

- Que voulez-vous dire ? demanda le jeune homme abasourdi en se redressant sur sa chaise.

- Eh bien, du fait de ma profession de dentiste, je suis continuellement penché sur mes patients et, au fil des années, mes épaules sont devenues tombantes et mon dos voûté. C'est très courant, de nos jours. De nombreuses professions, en particulier les emplois de bureau sédentaires, peuvent entraîner de mauvaises postures. Les gens se tiennent également très mal du fait des mauvaises habitudes prises durant l'enfance. Saviez-vous que dans les pays occidentaux les enfants passent en moyenne cinq heures par jour devant la télévision, sans compter le temps qu'ils consacrent à leurs jeux vidéos. Le corps humain n'a pas été conçu pour une vie sédentaire. La posture - la manière de se tenir debout, de s'asseoir, de marcher, le maintien habituel - tout cela joue un rôle essentiel pour la santé.

- Mais pourquoi la posture est-elle si importante ? demanda le jeune homme, perplexe.

- Oh, c'est assez simple ; pour que les tissus et les organes fonctionnent correctement et demeurent sains, il faut deux choses : un bon apport sanguin et une bonne innervation. Le sang transporte les éléments nutritifs et l'oxygène pour nourrir et nettoyer les tissus, et l'innervation joue le rôle d'un réseau électrique fournissant l'énergie. Sans l'un ou l'autre, les tissus entreraient dans un processus de dégénérescence. Et qu'est-ce qui régit la circulation sanguine et l'innervation dans le corps ? Votre posture !

Imaginez un tuyau d'arrosage : que se passe-t-il lorsque vous le comprimez ?

- L'eau s'arrête de couler, répondit le jeune homme.

- Précisément. Et il en est de même pour les vaisseaux sanguins et les trajets nerveux de votre organisme :

lorsqu'ils sont comprimés par des articulations déplacées ou des spasmes musculaires, la circulation sanguine et l'innervation sont entravées.

Mr. Townsend pouvait voir à l'expression de son visage que le jeune homme était toujours dérouté par ces explications.

- Représentez-vous votre colonne vertébrale, continua le dentiste. Vous avez 26 vertèbres et entre chacune d'elles se trouves des vaisseaux sanguins et des racines nerveuses partant de la moelle épinière qui nourrissent tout votre organisme. Lorsque vous êtes avachi, les vertèbres compriment ces vaisseaux sanguins et ces racines nerveuses et, tout comme l'eau s'arrête de couler lorsque l'on serre un tuyau d'arrosage, nous privons littéralement nos organes et nos tissus des apports énergétiques sanguins et nerveux lorsque nous nous tenons mal.

C'est pourquoi une mauvaise posture entraîne un mauvais état de santé ; les muscles du thorax s'affaiblissent, entraînant ainsi des bronchites et d'autres problèmes respiratoires - c'est bien sûr ce qui m'est arrivé -, les muscles abdominaux s'affaiblissent eux aussi et, de ce fait, les organes abdominaux se mettent à mal fonctionner ce qui entraîne souvent une multitude de troubles digestifs. Bon nombre de gens ont ce problème - un ventre tombant - et tentent de s'en débarrasser en faisant un régime. Et même s'ils perdent du poids, ils auront toujours le ventre mou. On peut faire un régime aussi longtemps que l'on voudra, mais on ne se débarrassera jamais d'un ventre mou si l'on ne se tient pas bien.

- Si je comprends bien, les gens feraient mieux d'améliorer leur posture pour aplatir leur ventre plutôt que de s'astreindre à des régimes draconiens ? dit le jeune homme.

- Absolument. Mais une bonne posture a bien d'autres effets que de rendre plat votre ventre. La posture est la clé de l'énergie. L'abdomen était considéré par toutes les médecines de l'Antiquité comme le centre énergétique du corps. La médecine chinoise l'appelle le Chi, et dans la médecine Ayurvédique indienne, on l'appelle le Hara. Si l'abdomen est faible, le centre énergétique est faible lui aussi et c'est ainsi que l'on se sent fatigué et sans énergie.

Le jeune homme prit des notes tandis que le dentiste poursuivait ses explications.

- L'un des faits les moins connus concernant la posture est qu'elle affecte nos émotions.

- Comment est-ce possible ? demanda le jeune homme.

- La façon dont nous nous tenons influence nos humeurs. Avez-vous jamais vu une personne déprimée se tenir droite, la poitrine bombée, respirer profondément et sourire ?

Le jeune homme fit non de la tête.

- Et savez-vous pourquoi ? Continua Mr. Townsend. C'est parce que notre cerveau est stimulé par notre posture. Lorsque nous sommes déprimés, nous nous avachissons automatiquement, nos épaules se voûtent, et nous avons tendance à baisser les yeux au lieu de regarder droit devant nous ou en l'air. Il est intéressant de noter que lorsque l'on prend conscience de ce phénomène, on peut plus facilement contrôler ses émotions et venir à bout de ses états dépressifs, sim-plement en changeant de posture.

Vous voyez, si l'on se tient bien droit, debout ou assis, la tête haute, en respirant profondément et en souriant - même si l'on a aucune raison de sourire - il est quasiment impossible d'être déprimé.

- Mais enfin, les choses ne peuvent tout de même pas être aussi simples ? insista le jeune homme. La dépression est un état émotionnel complexe.

- Je ne dis pas que le fait de corriger sa posture est la seule réponse à la dépression. Celle-ci, il est vrai, est conditionnée par d'autres facteurs, tels que les attitudes négatives, le manque de foi et les émotions refoulées. Tout cela doit être pris en considération et une psychothérapie peut s'avérer nécessaire. Mais je crois vraiment que nous pouvons améliorer nos états émotionnels et sortir d'un état dépressif en changeant simplement de posture.

Ne me croyez pas sur parole, essayez par vous-même, lui conseilla vivement le dentiste. Asseyez-vous bien droit, rentrez votre menton et imaginez que votre tête soit tirée vers le haut. Respirez profondément et souriez.

Le jeune homme éprouva une certaine gêne mais essaya quand même d'effectuer l'exercice et, à sa grande surprise, il ressentit immédiatement un surcroît d'énergie et de force. C'était si simple, cela paraissait si logique et, plus important que tout, c'était apparemment efficace !

- Si un état dépressif entraîne une mauvaise posture, demanda le jeune homme, cela implique-t-il qu'une humeur joyeuse permette de mieux se tenir ?

- Naturellement. N'avez-vous pas remarqué que les personnes optimistes et heureuses ont tendance à relever la tête, alors qu'à l'opposé les personnes tristes et déprimées baissent la tête et regardent vers le bas ?

- Ce que vous me dites est stupéfiant, dit le jeune homme, fasciné par la simplicité de ces propos. Mais comment faire pour améliorer sa posture ?

- Eh bien, il existe plusieurs moyens faciles pour apprendre à bien se tenir. N'oubliez pas que votre corps "connaît" instinctivement la posture correcte. Le problème est qu'on lui a donné de mauvaises habitudes.

L'élément le plus important est la prise de conscience. Dès lors que vous avez compris l'importance d'une bonne posture, vous prendrez automatiquement conscience de la posture que vous adoptez habituellement. C'est pourquoi la première fois que j'ai mentionné devant vous le mot "posture", vous vous êtes immédiatement redressé !

Toutefois, une bonne posture n'est jamais une contrainte. Bon nombre de gens pensent qu'ils devraient se mettre au garde-à-vous comme un soldat - poitrine bombée, estomac rentré - mais cela n'est pas nécessaire. Il suffit de se tenir la tête droite, les épaules détendues, le corps légèrement en avant et les genoux légèrement fléchis, non bloqués.

Le secret qui permet d'adopter une bonne posture commence par une prise de conscience. Durant la journée, il faut prendre le temps d'observer sa façon de se tenir, de s'asseoir ou même de marcher. Observez tout d'abord vos habitudes posturales - par exemple, la façon dont vous vous tenez au travail ou chez vous en regardant la télévision, ou lorsque vous faites la queue. Lorsque vous vous rendez compte que vous êtes voûté et tendu, prenez de longues et profondes respirations et imaginez que quelque chose vous étire vers le haut.

N'oubliez pas que nous sommes tous différents. Nos jambes, nos torses et nos bras n'ont pas la même taille. Nos centres de gravité sont différents et, par conséquent, la meilleure posture pour une personne n'est peut-être pas la meilleure pour une autre. Mais l'on peut réapprendre à bien se tenir.

- Comment ? demanda le jeune homme.

- Il faut prendre conscience de toutes ses mauvaises habitudes et les corriger. Ainsi, par exemple, bon nombre de secrétaires et d'employés de bureau souffrent de dorsalgies provoquées par une attitude anormale au cours du travail - par exemple en tenant le combiné du téléphone entre l'oreille et l'épaule. Dans ces conditions, les muscles d'un côté du corps se développent davantage que ceux de l'autre, ce qui entraîne un déplacement des vertèbres.

La gorge du jeune homme se serra car il tenait souvent le combiné du téléphone de cette manière.

Le dentiste poursuivit son propos.

- Les parents qui portent toujours leur enfant avec le même bras et les représentants de commerce qui font de même avec leur porte-documents finissent par adopter une mauvaise posture. De même, les garçons qui livrent les journaux le matin portent souvent leur lourd sac sur la même épaule, jour après jour. Il est particulièrement dangereux de laisser les enfants adopter de mauvaises postures parce que leur os sont en pleine croissance et que cela peut entraîner chez eux des problèmes de posture durant toute leur vie.

Certains sports ne font travailler qu'un seul côté du corps et nous amènent à adopter de mauvaises postures. Le tennis en est un bon exemple. Chaque fois qu'un joueur sert, il fléchit et fait pivoter son dos et, à la longue, cela entraînera des problèmes de posture parce qu'un côté du dos sera plus puissant que l'autre.

Voyez-vous, le secret d'une posture correcte est l'équilibre. Des mouvements continuellement inappropriés entraîneront un déséquilibre.

- Alors selon vous, il faudrait renoncer aux sports asymétriques comme le tennis ou le golf, tandis que les mères ne devraient plus porter leurs enfants et les représentants de commerce leurs lourdes valises ? dit le jeune homme.

- Bien sûr que non. Je joue moi-même régulièrement au tennis et je suis également père de famille, lui assura le dentiste. Mais il nous faut absolument corriger les déséquilibres inhérents à la pratique de certains sports ou à l'accomplissement de certaines activités professionnelles.

- Que faut-il faire pour cela ?

- Eh bien, c'est très simple. Nos articulations sont maintenues en place par les tissus mous - les muscle, les tendons et les ligaments. Si les muscles situés sur un côté d'une articulation deviennent plus puissants que ceux de l'autre côté, l'articulation sera déplacée et cela entraînera une mauvaise posture. C'est pourquoi, si vous ne pouvez pas éviter de tenir très souvent le téléphone entre votre oreille et votre épaule, vous devriez étirer régulièrement votre cou de l'autre côté. Et si vous jouez souvent au tennis, vous devriez vous exercer à servir ou à frapper la balle dans l'autre direction, et ce, avant, pendant et après le match. De même, si vous portez régulièrement un enfant ou une lourde valise, vous devriez vous servir alternativement des deux bras. Ce n'est vraiment qu'une question de bon sens.

- Eh bien, en effet, cela me paraît logique. Y a-t-il autre chose qui permette d'adopter une bonne posture ? demanda le jeune homme.

- Oui, bien sûr. Les exercices physiques équilibrés, un bon régime alimentaire, et une vie émotionnelle équilibrée sont également importants. Si les muscles s'affaiblissent du fait d'un manque d'exercice physique ou d'une mauvaise alimentation, ils ne seront pas en mesure de soutenir correctement les articulations. De même, si nous restons sous l'emprise des émotions négatives, notre posture en sera affectée. Même si nous pouvons contrôler consciemment notre posture, nous ne pouvons pas le faire à chaque moment de la journée et, à long terme, ces émotions reprendront le dessus.

Comprenez-moi bien, je ne suis pas en train de vous dire qu'en corrigeant votre posture, vous allez résoudre tous vos problèmes. Comme vous le savez, il existe dix secrets de la santé florissante et ils sont tous d'importance égale. Je ne dis pas non plus qu'il faille se pavaner à tout instant de la journée en se tenant bien droit, debout ou assis, et en souriant - bien que je ne puisse m'empêcher de penser combien ce serait merveilleux si nous agissions de la sorte. Non, ce que je dis, c'est que dès lors que nous avons pris conscience du pouvoir de la posture, nous pouvons l'utiliser pour améliorer notre état de santé et pour mieux maîtriser notre vie émotionnelle.

A la fin de leur rencontre, le jeune homme remercia Mr. Townsend pour son aide et prit congé de lui. Le dentiste observa le jeune homme tandis qu'il longeait l'allée de jardin, la tête bien haute, et il sourit intérieurement. Voilà un homme qui commençait à utiliser le pouvoir de sa posture !

Plus tard ce soir-là, le jeune homme relut les notes qu'il avait prises lors de sa rencontre avec Mr. Townsend.

Le septième secret de la santé florissante : le pouvoir de la posture.

Une bonne posture est essentielle pour être en bonne santé. Une mauvaise posture entrave la circulation sanguine et le système nerveux et peut entraîner diverses affections.

Notre posture affecte notre humeur et nos émotions aussi bien que notre santé physique.

Une bonne posture commence par une prise de conscience. Chaque jour, il faut prendre le temps d'observer et de corriger toute mauvaise habitude posturale.

Il faut respirer profondément et imaginer que l'on est doucement tiré ou étiré vers le haut, car cela aide à adopter une bonne posture.

Le secret d'une bonne posture est l'équilibre.

LE HUITIÈME SECRET

Le pouvoir de l'environnement

Peter Seagrove était un jardinier paysagiste âgé de 45 ans qui vivait dans un petit cottage dans un faubourg de la ville. Son nom était le huitième sur la liste du jeune homme et celui-ci était particulièrement intrigué de rencontrer cet homme.

"Après tout," pensa le jeune homme, "qu'est-ce qu'un jardinier paysagiste peut bien savoir sur la santé ?"

Lorsque le jeune homme arriva, il fut accueilli par un petit homme au visage bronzé et frais. Mr. Seagrove salua le jeune homme en lui serrant chaleureusement la main.

- Quelle journée magnifique, n'est-ce pas ? Verriez-vous un inconvénient à ce que nous nous installions dans le jardin de derrière ? demanda-t-il.

- Non, pas du tout. C'est agréable de rester au grand air pour changer un petit peu, dit le jeune homme.

Mr. Seagrove conduisit son invité le long de l'allée qui menait à l'arrière du cottage, s'arrêtant de temps en temps pour lui décrire certaines des plantes et des herbes qu'il faisait pousser. Ils se dirigèrent vers une large table en pin située sous une véranda et s'assirent. Mr. Seagrove remplit deux verres de jus de pommes et se tourna vers le jeune homme.

- Alors, qu'est-ce que vous voulez savoir exactement ? demanda-t-il.

Le jeune homme raconta son histoire et sa rencontre avec le vieux chinois.

- Je vois, dit Mr. Seagrove.

- Qui est donc ce vieil homme ? demanda le jeune homme.

- Je ne sais pas, dit le jardinier. Je ne l'ai rencontré qu'une seule fois, il y a de cela quinze ans. J'étais un tout autre homme, à l'époque. Pâle et faible, je souffrais d'un eczéma chronique et d'une grave dépression. J'étais vraiment dans un état pitoyable.

Et puis, un jour, j'ai eu une crise qui a changé ma vie. Ce jour-là, je me sentais particulièrement mal, a tel point que j'ai dû quitter mon travail plus tôt pour rentrer à la maison. J'ai pris l'ascenseur et j'ai appuyé sur le bouton "rez-de-chaussée". L'ascenseur s'est arrêté quelques étages plus bas et un vieux gentleman chinois est monté dedans. La porte s'est refermée derrière lui et l'ascenseur a poursuivi sa descente. Soudain, il s'est arrêté entre deux étages et les lumières se sont éteintes. La dernière fois que l'ascenseur s'était arrêté, il avait fallu trois heures pour le réparer, aussi vous pouvez imaginer dans quelle situation embarrassante je me trouvais. Je devenais de plus en plus nerveux, j'avais de terribles maux de tête - j'avais l'impression qu'elle allait exploser.

Je n'ai rien dit, mais dans l'obscurité, j'ai entendu la voix du vieil homme : "Ne vous inquiétez pas, tout va bien se passer." Avant même que j'ai eu le temps de lui demander ce qu'il entendait par là, il m'a dit, "Laissez-moi vous aider," et j'ai senti sa main se poser sur ma nuque. J'ai eu très mal durant un court instant et puis ma migraine a disparu, complètement disparu. Il avait libéré en moi quelque chose, un peu comme lorsqu'on retire un bouchon pour laisser l'eau s'écouler librement. Vraiment, je n'arrivais pas à y croire, c'était une sorte de miracle.

J'ai demandé au vieil homme ce qu'il avait fait pour soulager mes douleurs et il m'a dit qu'il avait utilisé une ancienne technique pour libérer la tension électromagnétique qui s'était accumulée dans mon cou et qui avait provoqué ma migraine. Bref, comme vous pouvez l'imaginer, j'étais sidéré. Comment diable savait-il que j'avais une migraine ? Et qu'était donc cette tension électromagnétique ?

Il m'a alors expliqué que les rayonnements émis par les équipements de bureau - ordinateurs, photocopieurs, fax, consoles de visualisation - avaient tous pour effet d'altérer les champs magnétiques et d'affecter notre santé. Il a ensuite évoqué les secrets de la santé florissante. C'était la première fois que j'entendais dire que des choses simples de notre mode de vie pouvaient avoir un tel impact sur notre santé.

Le jeune homme comprenait sa réaction. Il n'aurait lui-même jamais imaginé que ses pensées, son alimentation, sa posture ou tout autre facteur de ce type puissent avoir un impact si profond sur sa santé. Pourtant, jour après jour, il pouvait constater l'amélioration de son état de santé.

- Le vieil homme m'a donné une liste de personnes qui pourraient m'aider - ce que d'ailleurs elles firent toutes. Toutefois, la loi qui m'a semble-t-il le plus aidé était la loi de l'environnement sain.

- Qu'entendez-vous par là ? s'enquit le jeune homme.

- On ne peut avoir une santé florissante dans un environnement malsain. Voyez-vous, les êtres humains n'ont tout simplement pas été conçus pour travailler dans des lieux confinés, à l'éclairage artificiel et où les niveaux de radiation sont élevés. Si je suis tombé malade, c'est en partie à cause des conditions régnant dans mon bureau. Après tout, c'est logique : le lieu de travail est l'endroit où nous passons une grande partie de notre vie.

Mon bureau était équipé avec les dernières technologies - terminaux d'ordinateur, consoles de visualisation, éclairage artificiel et climatisation. Ces appareils engendrent des niveaux élevés de radiation ainsi qu'un environnement de travail très malsain et profondément artificiel.

Voyez-vous, j'ai pris conscience de l'importance de certaines choses - des choses si simples que la plupart des gens ne les prennent jamais en considération. Des choses qui se trouvent juste sous nos yeux mais que pourtant nous ne voyons pas. Si nous voulons être en bonne santé, nous devons créer un environnement sain. Nous devons faire en sorte que notre lieu de travail et l'endroit où nous vivons soient bénéfiques pour notre santé. Il a été établi que l'organisme a besoin de certaines conditions minimum, ne serait-ce que pour survivre.

Pour commencer, considérons l'air frais. On peut vivre des semaines sans nourriture et des jours entiers sans eau, mais on ne peut survivre plus de trois minutes sans oxygène. Et bien malgré cela, la plupart des gens travaillent dans des bureaux ou dans des usines à l'air conditionné. Un air vicié qui est recyclé jour après jour. Comment cela pourrait-il être sain ? Il faut que nous ouvrions les fenêtres dans nos bureaux et dans nos chambres à coucher pour remplir nos poumons d'air frais.

Le jeune homme se souvint de sa rencontre avec Mme Croft. Elle lui avait appris l'importance de la respiration profonde. "Sans respiration, la vie n'est pas possible," lui avait-elle dit. Il réalisait maintenant que l'on pouvait tout aussi bien affirmer : "Sans oxygène, la vie n'est pas possible." Tout lui paraissait beaucoup plus logique maintenant. C'était un peu comme un puzzle dont il ordonnait dans son esprit, une à une, toutes les pièces.

- Mais que peut-on faire si le bureau en question donne sur une artère à fort trafic ? Si l'on ouvre les fenêtres, ne va-t-on pas respirer un air pollué et poussiéreux ? demanda-t-il à Mr. Seagrove.

- Il n'y a que trois solutions : changer de travail, demander à l'employeur d'acheter un épurateur d'air, ou accepter la situation telle qu'elle est et respirer un air pollué.

Mr. Seagrove poursuivit ses explications.

- Ensuite, bien sûr, il y a la question de la lumière du jour. Même si vous avez la chance de travailler près d'une fenêtre, la plupart du temps celle-ci sera teinté, bloquant ainsi la lumière naturelle du jour.

- Mais pourquoi la lumière du jour est-elle si importante ? demanda le jeune homme. Je croyais que le soleil provoquait le cancer.

- Tout d'abord, toute chose en ce monde peut causer un cancer ou quelque autre forme de maladie dégénérative si l'on en fait un usage excessif. Il est vrai que si vous exposez votre peau trop brutalement à un soleil intense, elle brûlera, vieillira, et que cela pourra même provoquer un cancer de la peau. Il est également vrai que le problème s'est maintenant aggravé à cause d'une érosion sans cesse accrue de la couche d'ozone - ce phénomène étant une autre conséquence de la façon dont les hommes traitent leur environnement. Une couche d'ozone moins épaisse se traduit par une diminution de la protection naturelle contre les rayons du soleil et c'est pourquoi la peau brûle plus facilement. Il n'en demeure pas moins que nous avons tous besoin de la lumière du jour, non pas pour s'exposer directement à un soleil intense, mais pour bénéficier des effets des rayons ultraviolets.

Voyez-vous, toutes les formes de vie sur cette planète ont besoin de la lumière du soleil pour survivre. L'homme ne fait pas exception. Sans la lumière du jour, votre organisme serait dans l'incapacité de produire la vitamine D et, sans celle-ci, vous ne pourriez métaboliser le calcium nécessaire à la production des os et des dents. Sans la lumière du jour, votre épiphyse - une glande toute petite, mais très importante située dans l'encéphale - ne peut fonctionner. L'épiphyse facilite la régulation du taux de sucre dans le sang, du taux d'hormone et elle peut même contribuer à stabiliser notre vie émotionnelle, et c'est pourquoi tant de gens souffrent de "troubles affectifs saisonniers".

- J'ai entendu parler de ces troubles, dit le jeune homme en l'interrompant, mais de quoi s'agit-il exactement ?

- Les troubles affectifs saisonniers sont dus à la réduction de l'ensoleillement qui semble provoquer chez certains individus des réactions apparentées à la dépression : léthargie, difficultés de concentration, perte de l'appétit et du sommeil, douleurs rhumatismales et même diminution des pulsions sexuelles. Ces troubles se manifestent surtout en hiver et disparaissent pour la plupart au printemps. On peut aujourd'hui palier à la réduction de l'ensoleillement en utilisant des éclairages luminescents spéciaux dont les longueurs d'onde sont proches de celles de la lumière du soleil. Bien entendu, la lumière naturelle du soleil est préférable.

- Qu'en est-il des autres facteurs environnementaux ? Vous m'avez dit que vous aviez souffert des rayonnements électromagnétiques ...

- Oui, c'est exact. Les rayonnements émis par les ordinateurs, les consoles de visualisation, les imprimantes laser, les photocopieurs, les rampes d'éclairage artificiel et par d'autres équipements électroniques atteignent souvent des niveaux dangereux pour notre santé. On a de plus en plus de preuves des effets nocifs des rayonnements : non seulement ils provoquent des migraines et des problèmes de peau comme l'eczéma, mais ils sont également associés à la leucémie et à d'autres cancers, et même à l'infertilité.

Ces mots plongèrent le jeune homme dans l'inquiétude.

- Mais que peut-on faire contre cela ? demanda-t-il. On ne peut tout de même pas demander à tout le monde de changer de travail.

- Non, vous avez raison. Mais si vous ne pouvez pas transporter votre travail dans la nature, vous pouvez introduire la nature dans votre lieu de travail. Ouvrez les fenêtres, exigez un éclairage de meilleure qualité et installez beaucoup de plantes vertes sur votre lieu de travail.

- En quoi les plantes peuvent-elles être bénéfiques ? s'enquit le jeune homme.

- Les plantes d'appartement sont les meilleurs épurateurs de l'environnement. Des expériences conduites par la NASA - l'Administration nationale de l'aérospatiale aux États-Unis - ont confirmé que les plantes d'intérieur communes éliminent la plupart des émanations toxiques et des polluants du milieu en les absorbant à travers leurs feuilles et leurs racines. Les plantes absorbent et éliminent la radioactivité en excès.

- C'est incroyable, dit le jeune homme. Ainsi, nous pouvons créer un environnement sain tout simplement en plaçant des plantes dans notre lieu de travail, en l'aérant davantage et en exigeant plus de lumière naturelle.

- Exactement, dit Mr. Seagrove. Vous avez tout compris. Mais, au-delà de notre environnement professionnel, nous devons tous nous sentir concernés par l'environnement de la planète. Après tout, quel espoir y aurait-il pour nos enfants et petits-enfants si notre génération leur léguait une eau, une terre et un air pollués ? Nous devons réaliser que le futur dépend du présent, nous devons agir maintenant pour restaurer l'équilibre de la nature et recréer un environnement sain, tel que la Nature l'avait conçu à l'origine.

Jusqu'ici, le jeune homme n'avait jamais réalisé que les conditions de son environnement immédiat puissent avoir un tel impact sur sa santé, et il n'avait certainement jamais envisagé la possibilité qu'il puisse lui-même influencer l'environnement dans lequel il vivait et travaillait. "Si chacun d'entre nous," pensa-t-il, "essayait d'améliorer son environnement immédiat - au travail et à domicile - ne serait-ce pas un grand pas en avant pour favoriser la santé aujourd'hui et assurer une vie plus saine aux futures générations ?"

Plus tard ce soir-là, le jeune homme relut ses notes.

Le huitième secret de la santé florissante : on ne peut avoir une santé florissante dans un environnement malsain.

L'air frais non pollué et la lumière du jour sont les piliers d'un environnement sain.

Si l'on ne peut pas transporter son travail dans la nature, on peut introduire la nature dans son lieu de travail.

Il faut prendre soin de son environnement immédiat et apporter sa contribution au rétablissement d'un environnement équilibré et harmonieux partout dans le monde.

LE NEUVIÈME SECRET

Le pouvoir de la foi

La nuit suivante, le jeune homme fut réveillé par le bruit du tonnerre et par la lueur éblouissante des éclairs. Il se leva et alla se mettre à côté de la fenêtre de sa chambre pour observer l'orage. Il se sentait confus et perturbé, comme cela lui arrivait de temps à autre. En dépit des progrès qu'il avait accomplis et des leçons qu'il avait apprises, tout cela lui paraissait parfois trop extraordinaire. Il ne faisait aucun doute qu'il se sentait mieux, mais peut-être son corps lui envoyait-il des signes trompeurs ? Plus tôt, ce jour-là, un médecin-conseil, à l'hôpital, lui avait dit que sa maladie était peut-être en rémission. Cela avait fait naître en lui une cascade de doutes et de craintes. Qu'entendait-il par rémission ?

Ensuite, les pensées du jeune homme se tournèrent vers la personne suivante sur sa liste, un médecin à la retraite du nom d'Emil Dobre. Il espérait que cet homme serait en mesure de renforcer ses convictions quant aux secrets de la santé florissante. Le lendemain, il en aurait le cœur net.

Les cheveux rares et grisonnants du Dr. Dobre, ainsi que son visage ridé trahissaient ses 80 ans, même si ses grands yeux bleu clair lui donnait une certaine apparence juvénile. Le Dr. Dobre était manifestement ravi de rencontrer le jeune homme, et il l'accueillit les bras ouverts. Quelques semaines plus tôt, le jeune homme aurait été embarrassé à l'idée d'être pris dans les bras d'un homme tout à fait inconnu, mais, d'une certaine manière, cela lui parut alors naturel et peu gênant.

Peu après, ils se retrouvèrent tous deux assis et le jeune homme fit part au docteur de ses inquiétudes.

Le Dr. Dobre se pencha en avant et dit : "Vous n'avez aucune inquiétude à avoir. Vous êtes sur la bonne voie et tant que vous ne vous en écarterez pas, votre état de santé s'améliorera. La rémission n'est qu'un terme médical que les médecins utilisent parfois lorsqu'un patient va mieux sans aucune intervention médicale. Bon nombre de médecins ne comprennent pas le concept de "santé florissante" et présument que votre état de santé est le fruit du hasard, mais vous et moi savons bien qu'il n'en est rien, n'est-ce pas ? Le docteur sourit alors au jeune homme.

- Mais le docteur que j'ai vu hier était un spécialiste, dit le jeune homme avec insistance.

- Ah bon, voilà qui explique tout, dit le Dr. Dobre. Savez-vous ce que disait George Bernard Shaw des spécialistes ? Il disait qu'un spécialiste est quelqu'un qui en sait de plus en plus sur de moins en moins de choses jusqu'à ce qu'il sache absolument tout sur rien !

Ils éclatèrent tous deux de rire. Le jeune homme commençait à se sentir un peu plus à l'aise.

- Les secrets de la santé florissante, dit le Dr. Dobre, sont comme les étoiles - nous pouvons tous les voir, mais encore faut-il pour cela les regarder. Bon nombre de gens croient que la santé viendra avec les traitements médicaux et ils ne cherchent pas d'autres solutions. A l'école de médecine, on m'a enseigné que l'homme était une machine qui pouvait être révisée comme une voiture. On m'a enseigné que la clé de la santé était la prescription de médications sans cesse nouvelles et meilleures. J'ai été reçu médecin à l'université de Prague en 1936, mais c'est durant la seconde guerre mondiale que j'ai appris ma plus grande leçon de médecine : le pouvoir de la foi.

- Que voulez-vous dire ? demanda le jeune homme, quelque peu perplexe.

- L'homme n'est pas qu'une machine. Nous ne sommes pas faits que de chair et d'os. Nous avons un esprit, entité qui est bien plus que des substances chimiques et des molécules. Nous avons tous un esprit qui peut s'élever au-dessus des limitations du corps.

Le jeune homme écoutait le docteur avec une attention soutenue tandis que celui-ci poursuivait son récit.

- Durant la guerre, j'ai passé quatre années dans un camp de concentration en survivant avec une maigre ration de pain rassis et une tasse d'eau chaude que les Allemands qualifiaient de soupe. Il n'y avait pas d'aliments à proprement parler - pas de vitamines, pas de protéines, pas de véritables éléments nutritifs et aujourd'hui encore, les scientifiques n'arrivent pas à comprendre comment des gens ont pu survivre si longtemps avec si peu de nourriture.

- Justement, comment avez-vous fait pour survivre ? demanda le jeune homme.

- J'attribue ma survie à une seule chose : la foi ! J'ai attrapé la dysenterie un peu avant la fin de la guerre. Je ne pouvais plus rien manger et je perdais beaucoup de sang. La douleur était si terrible que je me suis finalement évanoui. J'ai alors pensé que la mort serait un soulagement bienvenu. Tout ce que pouvais faire était de prier ...

Le docteur se mit alors à pleurer.

- C'est à ce moment-là que votre ami est venu, murmura-t-il. Au milieu de la nuit, un vieil asiatique s'est agenouillé et a pris ma main. J'entends encore l'écho de sa voix. "Ayez la foi, mon ami," dit-il. "Vous ne mourrez pas, ayez la foi." Il est resté avec moi toute la nuit, mais lorsque je me suis réveillé le lendemain, il était parti. Bien que très affaibli, je me cramponnais à la promesse du vieil homme à propos de ma survie. Le lendemain, la guerre était terminée et le camp libéré. On m'a évacué sur une civière. Je pesais alors moins de 40 kilos. Mais ... le Dr. Dobre luttait pour essayer de prononcer une phrase.

- ... le vieux chinois avait raison : j'ai survécu.

La gorge du jeune homme se serra. Il était difficile d'imaginer cet homme de grande taille pesant si peu.

Le docteur poursuivit son récit.

- Le vieux chinois m'a sauvé la vie et il m'a donné la leçon de médecine la plus précieuse que j'aie jamais reçue.

- De quoi s'agit-il ? demanda le jeune homme.

- Là où il y a la foi, il y a la vie.

- Mais qu'entendez-vous par "foi"? s'enquit le jeune homme.

- La Bible nous dit ceci : "La foi est la ferme attente de choses que l'on espère, la claire démonstration de réalités que pourtant l'on ne voit pas." La foi est une conviction spirituelle, une croyance en des choses que ne peuvent être appréhendées par les cinq sens. La foi est un pouvoir spirituel qui rend possible l'impossible. C'est la solution de tous les problèmes, l'espoir au milieu de tous les désespoirs, la lumière au bout de tous les tunnels. La foi est la force qui peut déplacer des montagnes.

- Mais la foi en quoi ? demanda le jeune homme avec insistance.

- La foi en la vie, en vous-même et en une Puissance supérieure, répondit le docteur. Bien sûr, bon nombre de mes collègues qualifieraient cela de balivernes, mais ils font partie de ces gens qui refusent de regarder en l'air, et qui donc ne voient jamais les étoiles.

- Mais n'est-il pas possible que le pouvoir de votre esprit ait joué un rôle dans votre guérison ? demanda le jeune homme. J'ai récemment appris que l'on pouvait utiliser son esprit pour guérir son corps, et que le fait de croire en sa propre guérison peut suffire à l'engendrer.

- C'est tout à fait exact, répondit le docteur. Mais la foi relie l'esprit humain avec un pouvoir supérieur, plus fort encore que le pouvoir de l'esprit. Puis-je vous poser une question ; croyez-vous en Dieu ? J'entends par là un Créateur de vie ou une Intelligence Supérieure.

- Je n'en suis pas sûr.

- Bien. Laissez-moi vous montrer quelque chose.

Le docteur conduisit alors le jeune homme dans une autre pièce. Dans un coin, il y avait quelque chose qui était recouvert d'un drap, un objet de près de deux mètres de haut. Le docteur s'approcha de l'objet et retira le drap. "Voilà la merveille !" s'exclama-t-il en découvrant un planétarium mû par un mécanisme à ressort. Il donna un tour de clé et toutes les planètes du système solaire se mirent à tourner en orbite autour du soleil.

Le jeune homme était sidéré, presque hypnotisé par la synchronisation et le mouvement parfaits des planètes.

- Où avez-vous trouvé cela ? demanda-t-il.

- Oh, il s'est mis en place tout seul, dit le Dr. Dobre en souriant. Depuis dix ans les différents éléments se sont mis en place eux-mêmes pour former l'objet qui se trouve devant vous.

- Allons, allons, soyez sérieux, dit le jeune homme avec insistance. Où l'avez-vous trouvé ?

- Je vous dis qu'il s'est construit tout seul, répondit le docteur.

- Mais enfin voyons, n'importe qui peut se rendre compte que cette machine a été fabriquée par quelqu'un, rétorqua le jeune homme.

- Ah, Ah ! Maintenant, pensez à ce que vous venez de dire. Vous affirmez que ce modèle mécanique a été créé de toutes pièces. Et pourtant ce n'est qu'une pâle imitation de l'original.

Notre système solaire est infiniment plus complexe. La synchronisation de l'univers tout entier ne nécessite aucun mécanisme, et pourtant chaque astre a depuis toujours conservé sa propre orbite. Voyez-vous, dire que l'univers et la vie sont le fruit d'une évolution ou penser que l'humanité s'est développée à partir d'amibes au cours de millions d'années est bien plus ridicule que de dire que ce planétarium mécanique s'est construit tout seul. C'est comme si l'on disait que l'Encyclopédie Britannicae s'est constituée à la suite d'une explosion dans une imprimerie. Vous voyez ce que je veux dire ? Là où il y a un dessein, il doit forcément y avoir un créateur.

- Oui, je comprends.

- Pour moi, la foi en un Dieu ou en une Puissance supérieure - peu importe le nom qu'on lui donne - disons la foi en un pouvoir qui nous dépasse, est essentielle à notre bien-être. Il est écrit : " L'homme ne vivra pas de pain seulement, mais de toute parole qui sort de la bouche de Dieu."

- C'est joliment dit, mais qu'est-ce que cela signifie ? demanda le jeune homme.

- Que les nourritures terrestres ne suffisent pas. Nous avons également besoin de nourritures spirituelles.

- Mais vous n'affirmez tout de même pas que pour être en bonne santé, il faille croire en Dieu ? Je connais bon nombre d'athées qui sont en parfaite santé.

- Vous pouvez bien sûr survivre, vivre et vous en sortir sans croire en Dieu, mais un sentiment d'accomplissement et une santé florissante durables sont rares sans la foi.

Mon expérience de médecin m'a convaincu que la foi est l'un des plus importants facteurs de guérison. Et je ne suis pas le seul à le penser. Le professeur Claude E. Forkner, ancien président de la New York Cancer Society, a dit un jour : "Très souvent, nous ignorons ce qui a pu provoquer la guérison du patient. Je suis sûr que la foi joue fréquemment un rôle prépondérant dans la guérison." De son côté, le docteur Elmer Hess a écrit ceci : "Un médecin qui pénètre dans une chambre de malade n'est pas seul. La seule chose qu'il puisse faire, c'est de soigner la personne malade avec les techniques de la médecine scientifique - sa foi en Dieu faisant le reste."

Voyez-vous, la foi engendre la confiance et la paix de l'esprit. Elle libère une force qui peut accomplir des miracles. Il a été démontré que la foi représente un facteur essentiel chez les individus qui guérissent de maladies prétendument "incurables", et c'est pourquoi elle devrait également être considérée comme un élément important de la santé florissante.

Le contraire de la foi, continua le docteur, c'est le doute, la peur, l'anxiété et l'inquiétude. Toutes ces émotions ont un effet destructeur sur la santé. C'est peut-être pour cette raison que les gens qui ont une foi sincère ont seulement une meilleure santé que les autres, mais encore qu'ils guérissent plus vite lorsqu'ils tombent malades. Si votre foi est assez forte, non seulement cela vous aidera, mais cela aidera les autres aussi. Finalement, quand on y pense, ce n'est pas si étrange que cela. Tous les textes sacrés décrivent la foi comme un remède à la maladie. La Bible nous relate comment le prophète Elie a guéri un jeune garçon et, bien entendu, il y a tous ces récits où l'on voit Jésus guérir les malades avec le pouvoir de sa foi.

Le jeune homme se souvint que parmi les personnes qu'il avait rencontrées, certaines lui avaient dit que le vieil homme les avait sauvées tout simplement en les touchant. Maintenant il comprenait : le vieil homme avait utilisé le pouvoir de sa propre foi pour leur venir en aide.

En fin de compte, dit le docteur, il existe en ce monde un pouvoir bien supérieur à celui des hommes ou des machines. Il est à la disposition de chacun, n'importe où et n'importe quand.

- Prétendez-vous que la foi peut tout guérir ?

- Le pouvoir de la foi est illimité, mais, bien sûr, ainsi qu'il est écrit : "La foi sans l'action est inopérante." Si nous continuons à vivre en contradiction avec les lois de la nature, toute la foi du monde ne nous sera d'aucun secours à long terme, parce que rien ne peut échapper à la loi universelle de cause à effet.

- Oui, mais comment faire pour trouver la foi ? demanda le jeune homme. Je n'ai eu aucune éducation religieuse.

- Oh, vous n'avez nul besoin de faire partie d'une quelconque obédience religieuse pour croire en une Puissance Supérieure. Le Créateur de l'univers est le Créateur de tout être et de toute chose en ce bas monde, et pas seulement d'un petit nombre d'élus, dit le docteur. Sachez que la foi n'a rien à voir avec la religion, c'est quelque chose que l'on a en soi. Pour la trouver, la seule chose que nous ayons à faire est de chercher. Il arrive parfois que nous ayons de la chance et qu'un événement se produise pour nous montrer la voie.

- Quel genre d'événement ? dit le jeune homme.

- Et bien, une crise, par exemple ! dit le docteur. Une crise est semblable à un orage nocturne. Elle peut disperser les nuages de la confusion et dégager l'horizon. Et ensuite, si vous regardez en l'air, vous pourrez apercevoir les étoiles.

Le docteur poursuivit son propos.

- Des années durant, j'étais persuadé que le vieux chinois était le fruit de mon imagination. Aucun autre survivant du camp ne l'avait vu et, moi-même, je ne l'avais jamais rencontré auparavant et je ne l'ai jamais plus revu depuis. Pourtant, plus d'un an après, j'ai eu la confirmation qu'il était on ne peut plus réel.

- Que s'est-il donc passé ? demanda le jeune homme.

- Quelqu'un comme vous est venu frapper à ma porte, dit le docteur en souriant.

Ce soir-là, le jeune homme resta éveillé dans son lit en relisant les notes qu'il avait prises lors de sa rencontre avec le Dr. Dobre.

Le neuvième secret de la santé florissante : le pouvoir de la foi.

La foi est ce pouvoir spirituel qui rend possible l'impossible.

La foi relie l'esprit de l'homme avec une Puissance Supérieure.

Pour avoir une santé florissante, les nourritures terrestres ne suffisent pas. Nous avons également besoin de nourritures spirituelles.

La foi libère une force qui peut accomplir des miracles.

Le contraire de la foi est l'inquiétude, le doute, la peur et l'anxiété.

La foi sans l'action est inopérante.

Un vent furieux mugissait dehors et la pluie battait contre la fenêtre de la chambre. Au bout d'un certain temps, l'orage s'est calmé pour laisser place à un silence paisible. Le jeune homme se leva, s'approcha de la fenêtre et observa le ciel. Le ciel de la nuit était resplendissant, rempli d'une multitude d'étoiles brillantes. A ce moment-là, tous ses doutes et toutes ses peurs commencèrent à s'évanouir.

Le Dixième Secret

Le pouvoir de l'amour

Quarante jours avaient passé depuis que le jeune homme avait entamé sa quête et durant cette courte période de temps, non seulement il avait découvert les secrets de la santé florissante, mais encore avait-il mis ces connaissances en pratique.

Tous les jours, il avait trouvé le temps d'effectuer des visualisations et des affirmations curatives, de pratiquer les exercices de respiration profonde et de faire des exercices physiques, sous une forme ou sous une autre. Il avait changé son alimentation, et il avait pris conscience de l'importance de la posture. Il s'était efforcé de rechercher tout ce qui pourrait le faire rire ou sourire, et il avait disposé bon nombre de grandes plantes vertes chez lui et au bureau afin de créer un environnement plus sain. Il s'était reposé, physiquement et mentalement et, pour la première fois dans son existence, il avait foi en lui et dans la vie.

Le jeune homme avait vécu en se conformant aux lois de la santé florissante et il ne s'était jamais senti aussi bien. A sa grande stupéfaction, il avait constaté avec ravissement que ses symptômes avaient complètement disparu.

Il se demandait ce qu'il pourrait bien apprendre d'autre, mais il restait encore un nom sur sa liste. C'était celui d'une dame, Mme Edith James. Et c'est donc avec des sentiments mitigés d'espoir et d'appréhension qu'il frappa à la porte de la dixième et dernière personne sur sa liste.

Mme James était une femme âgée aux joues roses et aux yeux rieurs. Sa chaleur humaine était presque tangible - une sorte d'aura qui rappelait au jeune homme celle du vieux chinois. Il comprit instantanément que Mme James était un être exceptionnel.

- Je dois dire que c'est une merveilleuse surprise, dit-elle au jeune homme. D'après ce que vous m'avez dit au téléphone, vous avez dû rencontrer le Dr. Tao.

- J'ignorais que tel était son nom.

- Euh, en réalité je ne le connais pas non plus. Mais c'est le nom que je lui ai donné.

- Pourquoi ? Quel en est la signification ? demanda le jeune homme.

- Et bien, en fait "Tao" signifie "voie" ou "chemin" en chinois. Je lui ai attribué ce nom parce qu'il m'a guidé sur le chemin de la guérison. Cela s'est passé il y a plus de cinquante ans, mais je m'en souviens comme si c'était hier. J'avais une maladie très grave - la tuberculose - mais je l'ignorais jusqu'à ce que je surprenne une conversation entre un médecin et une infirmière à l'extérieur de ma chambre d'hôpital. Il lui avait demandé de surveiller mon état toutes les deux heures. Lorsque l'infirmière lui a demandé pourquoi, il lui a fait une réponse que je n'oublierai jamais. Il lui a dit de me donner tous les aliments que je désirais, parce qu'il me restait moins d'un mois à vivre !

Comme vous pouvez l'imaginer, j'étais complètement effondrée. Je ne voulais pas mourir. Je n'avais que 23 ans. Le premier choc passé, j'ai passé le reste de la journée les yeux fermés, à prier. Le soir, un vieux chinois est venu me rendre visite pour me proposer des magazines. Je n'avais pas l'esprit à lire, mais son sourire était si chaleureux que lorsqu'il m'a dit qu'il avait apporté un magazine spécialement pour moi, je l'ai accepté.

Il est resté avec moi un petit moment, nous avons parlé de la vie et la conversation s'est rapidement engagée sur la question de la santé. C'est à ce moment-là que j'ai entendu parler pour la première fois des secrets de la santé florissante. Ensuite, le vieil homme m'a donné une liste de personnes qui, selon lui, pourraient me venir en aide. Je ne pus m'empêcher d'éclater en sanglots, car je savais que j'allais mourir. Le vieil homme est venu près de moi et m'a pris dans ses bras. Il m'a dit que tout irait bien. La dernière chose qu'il m'a dite était celle-ci : "Il y a un message qui vous est spécialement destiné dans ce magazine. Je vous en prie, lisez-le."

Lorsqu'il est parti, j'ai cessé de pleurer et séché mes larmes. J'ai alors pris le magazine et me suis mise à le lire. Et, croyez-moi, j'ai bien fait de le faire, car il contenait bel et bien un message très particulier qui m'était destiné et qui m'a sauvé la vie.

Le jeune homme écoutait, subjugué.

- Vous pourriez vous demander quel genre d'article a pu sauver une jeune femme mourante, continua Mme James. Ce n'était pas un article sur la santé ou la médecine, juste un récit tout simple. Mais pour moi, ce n'était pas une histoire ordinaire car elle ressemblait étonnamment à celle de mon père.

Mes parents ont divorcé lorsque j'avais à peine cinq ans, et depuis, je n'ai plus revu mon père ni eu de ses nouvelles. C'était un architecte éminent et j'avais toujours eu le sentiment qu'il avait peu de considération pour moi. Ma mère et moi sommes parties et je n'ai jamais reçu ne serait-ce qu'une carte postale de mon père. Mais j'ai découvert la vérité dans ce magazine. On y parlait d'un architecte dépité et déçu, qui était né dans la ville de mon père, avait étudié dans la même école et dans la même université et s'était marié avec une magnifique blonde de quinze ans moins âgée que lui. Cet architecte avait mis fin à une union profondément malheureuse et son ex-femme l'avait empêché de revoir sa fille. Ce ne pouvait être que mon père. D'après l'article, il avait écrit de nombreuses lettres à sa fille, il lui avait systématiquement envoyé des cadeaux pour son anniversaire et pour Noël, mais il n'avait jamais reçu de réponses ou même des remerciements. Après s'être comporté de la sorte durant quatorze ans, il avait renoncé et trouvé la paix en se remariant et en fondant une nouvelle famille.

Toute ma vie, j'ai eu le sentiment que mon père ne m'aimait pas et de son côté, il m'attribuait la même indifférence. La vérité, bien sûr, était que l'amertume et la colère de ma mère l'avait conduite à cacher toutes les lettres et tous les cadeaux de mon père. Pendant toutes ces années, elle avait tout fait pour que je haïsse mon père. Maintenant, sur mon lit de mort, je découvrais pour la première fois de ma vie que mon père m'aimait, que je lui manquait et qu'il s'inquiétait de moi. J'étais déterminée à lui faire savoir avant de mourir que moi aussi je l'aimais.

Lorsque j'ai fini la lecture de cet article, j'ai pris la décision de téléphoner immédiatement à mon père. Je ne connaissais pas son numéro de téléphone ni même son adresse, mais l'article mentionnait la ville dans laquelle il vivait, aussi je n'ai eu aucun mal à trouver son numéro. Je ne lui avais pas parlé depuis près de 20 ans, et lorsque j'ai entendu sa voix au bout du fil, j'ai éclaté en sanglots.

Le lendemain matin, mon père était à mon chevet et me tenait la main. J'ai eu une sensation étrange, difficile à expliquer, comme si l'on m'avait donné un remède miracle. J'ai retrouvé mon appétit et moins d'une semaine plus tard je pouvais me promener tous les jours dans les magnifiques jardins de l'hospice en compagnie de mon père. J'ai pu savourer l'air frais de la montagne et le parfum des roses.

Durant cette période, les médecins ont surveillé mon état et l'évolution de la maladie en effectuant divers prélèvements. Et puis, un jour, alors que mon père et moi étions assis dans la roseraie, un médecin est sortie de l'hospice en courant. Il criait en brandissant des documents. Cette fois, les examens étaient tous négatifs. C'était incroyable, il n'y avait plus aucun signe de tuberculose. J'allais pouvoir vivre !

- Cela a dû être une sensation extraordinaire, dit le jeune homme.

- Ah ça, vous pouvez le dire ! Toutefois, ce n'est que plus tard ce soir-là que je me suis rendu compte que je n'avais pas vraiment remercié le vieux chinois pour ce magazine qui m'avait permis de retrouver mon père. C'est pourquoi je me suis rendue au service du personnel de l'hôpital pour demander si l'on pouvait me mettre en contact avec le vieux chinois qui avait travaillé dans mon service. Mais ...

- Oui je sais, dit le jeune homme en l'interrompant, il n'y avait aucun chinois sur la liste du personnel, c'est ça ?

Mme James sourit.

- Bien entendu.

- Qu'est-ce qui, selon vous, vous a permis de connaître une guérison aussi spectaculaire ? demanda le jeune homme en changeant de sujet.

- Et bien, comme vous pouvez l'imaginer, les médecins étaient complètement déconcertés. Je pense que ma guérison était probablement due à une combinaison de facteurs - l'alimentation, le bon air de la montagne, la prière et l'exercice. J'ai appris l'importance de ces facteurs après avoir quitté l'hôpital auprès des personnes figurant sur la liste du vieil homme. Mais il ne fait aucun doute dans mon esprit que ce qui a le plus contribué à ma guérison, c'est quelque chose dont la médecine - orthodoxe ou naturelle - fait rarement mention : le pouvoir de l'amour.

Je sais que cela peut paraître étrange, mais je vous assure que c'est la vérité.

- Vraiment ? dit le jeune homme. L'amour a joué un rôle important dans votre guérison ?

- Cela ne fait pas l'ombre d'un doute. Dans tous les textes sacrés anciens l'amour est décrit comme la plus grande force de l'univers - l'amour peut déplacer les montagnes !

J'ai lu un jour l'histoire vraie d'un homme qui sillonnait les grands espaces glacials et enneigés du nord de l'Amérique - un récit qui illustre bien le pouvoir de l'amour. Au cours de l'un de ses voyages, au milieu de l'hiver, l'homme se perdit entre deux villages lors d'une tempête de neige. Épuisé et transi de froid, ne pouvant faire un pas de plus, il s'allongea pour attendre la mort. Mais quelques instants plus tard, il entendit les pleurs d'un enfant. Il se dirigea en trébuchant vers l'enfant, avançant à l'aveuglette dans le blizzard, et découvrit une petite fille qui gisait dans la neige. Il saisit la fillette et la serra très fort contre lui pour la tenir autant que possible au chaud et il poursuivit son chemin, bien déterminé à lui sauver la vie. Il avait à peine fait cent pas qu'il tomba sur une cabane isolée construite en rondins. C'était la maison de la petite fille. Le voyageur l'avait sauvée d'une mort certaine et, par la même occasion, avait sauvé sa propre vie.

Voilà un exemple d'un véritable amour, un amour inconditionnel - aider quelqu'un d'une manière totalement désintéressée parce que la récompense se trouve dans l'acte lui-même. En aidant les autres, nous nous aidons nous-mêmes. Il y a de nombreuses lois dans l'univers, toutes précises et infaillibles, mais la plus grande d'entre elles est la loi de l'amour, parce que l'amour survit à tout, et qu'il est la force la plus puissante dans l'univers. Avec l'amour, nous pouvons surmonter tous les écueils, tous les problèmes ... et toutes les maladies. Je crois fermement que "l'amour" représente souvent un élément important dans la guérison de bon nombre de maladies - un élément que l'on néglige trop souvent. Et il ne fait pour moi aucun doute que sans amour généreux on ne pourra jamais avoir une santé florissante.

- Mais pourquoi l'amour revêt-il tant d'importance pour notre santé ? demanda le jeune homme.

- L'amour est important pour la santé parce qu'il est l'essence de la vie. Sans lui, la vie perd son sens et sa raison d'être et l'on peut sombrer alors dans la dépression. Les forces opposées à l'amour - la haine, l'égoïsme, la colère et le ressentiment - engendrent toutes des poisons dans le corps, des poisons qui nous tueront aussi sûrement que la plus toxique des substances chimiques.

L'amour nourrit le corps et l'esprit. De fait, il a été démontré que les gens qui se sentent aimés guérissent beaucoup plus vite que les autres.

- Comment expliquez-vous ce phénomène ? demanda le jeune homme.

- Et bien, lorsque nous nous sentons aimés, le nombre de nos globules blancs s'accroît, des hormones d'un certain type sont libérées dans l'organisme pour nous aider à combattre le stress et la douleur, et notre état général s'en trouve totalement transformé. Il y a quelques années de cela, une étude intéressante a été conduite dans un centre hospitalier universitaire de Londres, une étude qui montre comment l'amour favorise la guérison : le chirurgien en chef de l'établissement devait rendre visite à tous ses patients la veille de leur opération pour répondre à toutes les questions qu'ils pourraient se poser et pour leur expliquer la nature générale de l'intervention. Toutefois, en cette occasion, le chirurgien devait tenir la main de chaque patient pendant les quelques minutes que durait l'entretien. Me croiriez-vous si je vous disais que ces patients se sont rétablis en moyenne trois fois plus vite que les autres !

L'amour est non seulement un facteur essentiel de la guérison, mais également du maintien de la santé. Bon nombre de gens tombent malades parce qu'ils ne s'aiment pas. Ils se sentent rejetés et malheureux et, très souvent, connaissent des difficultés dans leurs relations personnelles. Mais tout le monde peut trouver l'amour, et il existe pour cela un moyen infaillible.

- Quel est-il ? demanda le jeune homme.

- Il suffit pour cela de donner de l'amour aux autres.

- Je crois comprendre ce que vous voulez dire, dit le jeune homme. Chaque fois que j'aide quelqu'un ou que je le fais sourire, je me sens vraiment bien.

- C'est exactement ça, dit Mme James. Plus nous donnons, et plus nous recevons en retour. Plus nous aimons, et mieux nous nous sentons. C'est quelque chose de merveilleux, n'est-ce pas ?

Mme James tendit une plaque au jeune homme.

- Pour moi, tout est dit sur cette plaque. Il s'agit d'un passage tiré du Sermon sur la montagne, un livre écrit par Emmett Fox.

Sur la plaque, on pouvait lire le texte suivant :

L'amour peut venir à bout de toutes les difficultés : il n'est aucune maladie que l'amour ne puisse guérir, aucune porte qu'il ne puisse ouvrir, aucun abîme qu'il ne puisse franchir par un pont, aucun mur qu'il ne puisse abattre, aucun péché qu'il ne puisse racheter ...

Peu importe la gravité du problème ; peu importe sa nature apparemment désespérée, si l'on croit suffisamment en l'amour, il disparaîtra. Si seulement vous pouviez aimer assez fort, vous seriez l'être le plus heureux et le plus puissant au monde...

Plus tard ce soir-là, le jeune homme relut les brèves notes qu'il avait prises.

Le dixième secret de la santé florissante - le pouvoir de l'amour.

L'amour est depuis toujours une force curative.
Pour recevoir l'amour, il suffit d'en donner.

EPILOGUE

Cinq années plus tard le jeune homme avait vieilli et acquis de la sagesse. Il était devenu écrivain et il donnait également des conférences sur la médecine naturelle pour divulguer les connaissances qui avaient changé sa vie. Il prêchait par l'exemple, vivant chaque jour dans le respect des lois de la santé florissante.

Il se souvenait du jour où il était revenu voir son médecin, exactement dix semaines après sa première visite. Ce furent des instants d'inquiétude, une inquiétude encore plus éprouvante psychologiquement que celle qu'il avait ressentie lors de sa première visite. Le docteur, assis en face de lui, lisait en silence les résultats des derniers examens. Deux minutes passèrent, mais pour le jeune homme, c'était comme des heures. Finalement, le docteur posa ses lunettes et regarda le jeune homme.

- Eh bien, dit-il un sourire aux lèvres, J'ai la joie de vous annoncer que tous les tests sont négatifs. Vous êtes tiré d'affaire. Je dois dire qu'en trente ans de pratique, je n'ai jamais vu une guérison aussi spectaculaire.

Le jeune homme avait refermé la porte du cabinet de consultation derrière lui et avait traversé lentement la salle d'attente pour sortir de la clinique. Alors qu'il approchait de la sortie principale, il accéléra le pas et son cœur se mit à battre de plus en plus vite. Il sortit brusquement par la porte battante et, les poings serrés, il regarda vers le ciel et cria de toutes ses forces : "Ça y est ! On a gagné !"

Les secrets de la santé florissante avaient permis au jeune homme de sortir du désespoir de la maladie et de connaître le bonheur de la santé florissante. Toutefois, pas un jour ne passa sans que le jeune homme ne pense au vieux petit chinois qui l'avait aidé a changer le cours de sa vie. Il comprenait maintenant à quel point sa maladie avait été un don précieux, car elle lui avait permis de vivre une vie plus riche, plus accomplie. Il aurait souhaité raconter au vieil homme ce qui s'était passé depuis leur rencontre. Il aurait souhaité lui dire qu'il comprenait maintenant ses paroles et le remercier pour son aide.

Ses pensées furent soudain interrompues par la sonnerie du téléphone. C'était une femme qui lui demandait si elle pouvait le rencontrer. On lui avait dit qu'il pourrait lui venir en aide. Pouvait-elle le voir aussitôt que possible ?

- Certainement, dit le jeune homme. Demain après-midi vous conviendrait-il ? Disons à 15 heures ?

- Cela me convient parfaitement. Merci beaucoup, s'exclama la jeune femme. Je vous suis très reconnaissante. On m'a dit que vous sauriez exactement comment me venir en aide.

- Je ferai de mon mieux, lui assura-t-il. Mais dites-moi, qui vous a donné mon numéro de téléphone ?

- Je ne connais malheureusement pas son nom. Je l'ai juste rencontré ce matin. Il m'a dit être l'un de vos amis... un vieux chinois.

Le jeune homme sourit intérieurement en raccrochant le combiné et dit dans un doux murmure : " Que Dieu vous bénisse, Dr. Tao, où que vous soyez."

Du Même Auteur

Chez le même éditeur

Les 10 Secrets de l'Amour

Nous désirons tous ardemment connaître l'amour et des relations de tendresse, peut-être plus que toute autre chose. Comment se fait-il, dès lors, que tant de gens traversent leur vie dans la solitude, en cherchant, en espérant l'amour, mais en le trouvent rarement ? Si l'amour est vraiment ce que nous désirons le plus, comment se fait-il que les divorces et les foyers brisés atteignent des chiffres records ? Pourquoi tant de mères ou de pères célibataires doivent-ils se battre en élevant

seuls leur famille ? Pour quelles raisons, dans nos villes surpeuplées, y a-t-il tant de gens accablés de solitude ? Se pourrait-il que, dans notre quête de l'amour, nous nous trompions de direction ? Contrairement à une croyance largement répandue, l'amour n'est pas le fruit du destin ou de la chance ; l'amour est quelque chose que nous créons... et nous avons tous le pouvoir de le créer. Nous avons tous le pouvoir d'aimer et d'être aimés, nous avons tous la capacité de créer des relations de tendresse. Peu importe notre situation présente - célibataire et seul, ou prisonnier d'une relation stérile et malheureuse - la vie peut changer et nous avons le pouvoir de la changer.
Ecrit comme une parabole, le message est ici délivré clairement : ce livre peut vous aider à trouver l'amour dont nous rêvons tous.

LES 10 SECRETS DU BONHEUR

Le bonheur n'est pas déterminé par les circonstances de la vie, car vous seul pouvez le créer. Chacun de nous peut non seulement connaître le bonheur, mais encore le bonheur infini. C'est là le message lumineux de ce remarquable livre. Il existe des lois universelles qui régissent tous les phénomènes naturels et toutes les manifestations de la vie, des lois dont font partie les secrets du bonheur infini. Ces principes venus de la nuit des temps et révélés pour la première fois par des sages et des prophètes, sont respectés et suivis encore aujourd'hui par des psychologues partout dans le monde. On nous relate ici l'histoire d'un jeune homme en plein désarroi qui, guidé par un vieux chinois mystérieux, entame un remarquable parcours pour découvrir ces secrets. Cette parabole moderne sur la sagesse et le bonheur nous apprend simplement à trouveret créer le bonheur tant recherché ; il nous dit que nous possédons déjà les outils nécessaires mais que nous ne savons pas les utiliser. Apprenez à diriger les pouvoirs de votre esprit, de votre corps et trouver le bonheur que vous recherchez.

LES 10 SECRETS DE LA PROSPÉRITÉ

La chance n'a rien à voir avec le fait de devenir riche. Vos possibilités financières n'ont aucune importance, vous seul avez le pouvoir de créer votre richesse. Dans *Les 10 secrets de la prospérité*, vous découvrirez les qualités essentielles que toutes les personnes riches ont en commun et comment vous pouvez apprendre à développer ces qualités et ainsi créer la prospérité que vous voulez.Comme l'histoire de ce jeune homme au bout de la faillite personnelle le démontre, si nous nous autorisons à grandir, à interroger et à oser un voyage vers l'inconnu, nous pouvns atteindre les buts que nous voulions et que nous méritons. Vous découvrirez vitre que rien n'est au-delà de vos possibilités.

LES EDITIONS *Vivez Soleil*

Beaucoup de gens croient que la maladie survient par hasard et que la santé consiste surtout à vivre comme un ascète en se privant des plaisirs de la vie ! Au fil des livres et cassettes des Éditions Vivez Soleil une autre vision émerge. Oui, il est possible de sortir de l'ignorance, de la peur et de la maladie sans se priver ni se marginaliser. Oui, la santé, ça s'apprend !

Par une démarche personnelle d'information et d'expériences agréables et intéressantes, chacun peut sortir de la prison des habitudes et trouver l'équilibre du corps, du cœur, de la tête et de l'âme qui mène vers le bien-être, l'enthousiasme, la créativité et le bonheur.

A travers leurs collections SANTÉ, DÉVELOPPEMENT PERSONNEL et COMMUNICATION SPIRITUELLE, LES PERLES DE L'ÂME, EXPÉRIENCE VÉCUE, les Éditions Vivez Soleil présentent les moyens les plus efficaces pour gérer sa vie et sa santé avec succès. Elles montrent la complémentarité de toutes les écoles de pensée et œuvrent pour une société plus harmonieuse, plus agréable à vivre, où la compétition est remplacée par la collaboration, le stress par l'humour et l'amour du pouvoir par le pouvoir de l'amour.